MARIE NOËL

POÈTES
d'AUJOURD'HUI

89

MARIE NOËL

Présentation par ANDRÉ BLANCHET
Choix de textes
Bibliographie, portraits, fac-similés

IL A ÉTÉ TIRÉ DE CET OUVRAGE 8 EXEMPLAIRES
SUR VÉLIN PUR FIL MARAIS MARQUÉS DE A A H
QUI CONSTITUENT L'ÉDITION ORIGINALE.

MARIE NOËL

par
ANDRÉ BLANCHET

I

VOUS M'AVEZ DIT, MARIE NOËL...

... Vous m'avez dit : « Parlez de moi le moins possible. Pas de biographie : quand on écrit sur moi, on en met toujours trop. » Et comme je cachais mal mon inquiétude, car enfin je me suis engagé à noircir beaucoup de papier : « Citez mes poèmes », avez-vous ajouté. Et si je ne pus la surprendre dans vos yeux malades, je devinai l'intention narquoise qui, ce disant, vous habitait.

Je le savais. Marie Noël n'apprécie guère la critique, celle du moins qui s'exerce sur les poètes, et qui risque fort en effet de tuer la poésie. « O grammairien dans mes vers », s'écriait Claudel, ... comme on crie au loup. Pour Marie Noël, j'étais le loup : parmi ses poèmes bien vivants et bien-aimés, quel saccage n'allais-je pas faire !

M'estimant sans doute insuffisamment découragé, elle m'envoya, le lendemain de notre entrevue, une note polycopiée : l'ont déjà reçue tous ceux qui, en mal de thèse, et des plages les plus imprévues de la planète, lui demandent des renseignements sur sa vie et sur son œuvre. J'en méditai longuement ce passage admirable, qui acheva de m'accabler :

La création poétique et l'analyse critique s'excluent.

Le poète est semblable à la femme qui forme lentement un être vivant en l'obscur d'elle-même, sans en connaître les éléments, selon un plan qui lui échappe. Elle met un homme au monde. Il vit. L'œuvre de la femme est accomplie.

Mais peut-être, tard après elle, un savant viendra qui fera l'autopsie du même homme. Une autre œuvre alors sera faite, opposée à celle de la créatrice. Et les deux sont valables, nécessaires. A chacun la sienne. A chacun son métier. Poète, j'ai tâché de faire le mien. A vous maintenant, critiques, de faire le vôtre.

Sans moi.

J'ai parfaitement compris : vous vous refusez à m'aider. Je m'y résigne. Mais vous ajoutez, — et sous les mots trop secs je crois percevoir un sanglot :

Analysez, disséquez, dissociez ce que j'ai associé, divisez ce que j'ai uni, réduisez à ses éléments divers ce que j'ai créé dans l'élan de vie.

Mais, tandis que vous poursuivrez votre besogne, je détournerai la tête. La mère ne doit pas assister à l'autopsie de son enfant.

Cri de femme, cri de poète. Cri instinctif de femme-poète.

Rassurez-vous, Marie Noël! Je ne suis pas cet ogre que vous craignez, ni je n'en veux à vos petits. La chimie littéraire n'est pas mon fort. Vos poèmes, je les prendrai comme ils sont, ronds de vie et achevés de forme, respirant, courant dans la page et nous entraînant dans leur farandole, détachés de vous enfin comme s'ils étaient les enfants de votre chair. Je n'essaierai pas d'expliquer l'inexplicable, comment ils sont sortis de vous, le mystère d'une genèse qui vous échappe à vous-même et qui vous a dicté les premiers vers que nous ayons lus de vous. Ces vers, qui ouvrent encore votre œuvre — comme une clef déposée par vous dans notre main — sont d'une jeune fille « ébahie », et qui comprend mal ce qui lui arrive :

Les chansons que je fais, qu'est-ce qui les a faites !

Souvent il m'en arrive une au plus noir de moi.
Je ne sais pas comment, je ne sais pas pourquoi,
C'est cette folle au lieu de cent que je souhaite.

Dites-moi... Mes chansons de toutes les couleurs,
Où mon esprit, qui muse au vent, les a-t-il prises?
Le chant leur vient — d'où donc? — comme le rose aux fleurs,
Comme le vert à l'herbe et le rouge aux cerises.

Je ne sais pas de quels oiseaux, en quel pays
De buissons creux et pleins de songes elles sont nées...
Elles m'ont rencontrée et, moi, je m'ébahis
D'entendre battre en moi leurs ailes étonnées.

Mais comment, à la file, en est-il tant et tant
Et tant encor, chacune à la beauté nouvelle,
Comme une abeille après une abeille sortant
Du petit coin de miel que j'ai dans la cervelle?

« Qu'est-ce qui les a faites? » « Je ne sais pas. » C'est Marie Rouget qui parle ainsi, une petite jeune fille d'Auxerre qui s'étonne, vers dix-huit ou dix-neuf ans, de sentir croître, remuer et déjà naître en elle *une autre*, dont la voix n'est pas celle de tout le monde, — tellement autre qu'elle la baptisera d'un autre nom : Marie Noël. On songe à Jules Supervielle et à son conte merveilleux : *La jeune fille à la voix de violon*. Les deux poètes ne se sont jamais vus. Quel dommage ! Un an seulement les séparait : Marie Noël est née en 1883, Supervielle en 1884. Ils auraient pu jouer ensemble. Comme le poète d'Oloron-Sainte-Marie aurait aimé sa petite sœur bourguignonne ! Toujours est-il que ce qu'il raconte de la jeune fille enmusiquée de naissance vaut toutes les biographies, présentes et futures, de Marie Noël. Les poètes n'ont pas besoin de se rencontrer pour se connaître.

C'était une jeune fille comme une autre, commence Supervielle. *Mais un jour, dans sa voix, elle crut reconnaître, glissant sous les mots de tous les jours, des accents de violon et même un* mi *bémol ou un* fa *dièze, ou quelque autre impertinence. Ce n'était pas une petite chose que d'arriver chez les gens avec une voix de violon, d'être invitée à un thé ou à un déjeuner sur l'herbe et de porter toujours sur soi, dans la gorge, cette voix étrangère, prête à sortir, même quand elle disait : « Merci » ou : « Il n'y a pas de quoi »...*

Parce que rien ne lui plaisait tant que de ne pas se singulariser, elle gardait généralement le silence, et s'habillait avec quelle modestie, quelle neutralité, et toujours un large ruban tout à fait gris autour de sa gorge musicale. « Après tout, on n'a pas besoin de parler », songeait-elle.

Même quand elle ne disait rien, on ne pouvait oublier que

cette voix était là, prête à sortir. Une de ses camarades, à l'oreille fine, prétendait même qu'elle ne se taisait jamais complètement, que son silence cachait mal de sourds accords et même des mélodies assez claires : il suffisait d'un peu d'attention...

« *Tout de même, si mon silence n'est plus à moi !* »

Un chirurgien, ami de la famille, fut appelé à examiner cette gorge, ces cordes vocales. Sans doute faudrait-il opérer, mais quoi ?

Il se pencha sur cette bouche ouverte comme sur un puits hanté, et s'abstint d'intervenir.

Marie Noël ne me démentira pas : c'est là toute son histoire, avec cette différence qu'un jour la jeune fille de Supervielle, au grand soulagement du père et de toute la famille, perdit sa voix de violon. Marie Noël garda la sienne. Un vrai miracle. Car enfin, chez notre poétesse, même émoi stupéfait en découvrant son don insolite, même pudeur devant les curiosités indiscrètes, même souci de se cacher et de se taire. Il n'est pas jusqu'au puits — le puits hanté sur lequel se penche, intrigué, le chirurgien — qui ne soit, nous y reviendrons, une image chère à Marie Noël : c'est la source d'où sourd sa poésie, c'est le refuge où nul des siens ne pourra l'atteindre, c'est enfin le lieu secret et profond où elle combattra seule à Seul avec Dieu.

« Mon œuvre est moins une œuvre qu'une vie chantée » •

« Pas de biographie »? Marie Noël a raison. Inexplicable est la naissance d'un poète. *Nascuntur poetae*, disait ce vieux bonhomme qui, n'étant pas « né » poète, se résigna à « devenir » orateur. D'accord avec Cicéron, Marie

Noël l'est surtout avec Paul Valéry et Marcel Proust. Inutile, dit Valéry, et même nuisible toute recherche biographique.

Que me font les amours de Racine? C'est Phèdre qui m'importe. Qu'importe la matière première, qui est un peu partout? C'est le talent, c'est la puissance de transformation qui me touche et qui me fait envie. Toute la passion du monde, tous les incidents, même les plus émouvants, d'une existence sont incapables du moindre beau vers... Et si je dis que la curiosité biographique peut être nuisible, c'est qu'elle procure trop souvent l'occasion, le prétexte, le moyen de ne pas affronter l'étude précise et organique d'une poésie. On se croit quitte à son égard quand on n'a fait, au contraire, que la fuir, que refuser le contact, et, par le détour de la recherche des ancêtres, des amis, des ennuis ou de la profession d'un auteur, que donner le change, esquiver le principal, pour suivre l'accessoire.

Quant à Marcel Proust, on connaît sa charge à fond contre Sainte-Beuve et sa méthode,

cette méthode qui consiste à ne pas séparer l'homme et l'œuvre, ... à s'entourer de tous les renseignements possibles sur un écrivain, à collationner ses correspondances..., etc. Cette méthode méconnaît ce qu'une fréquentation un peu profonde avec nous-même nous apprend : qu'un livre est le produit d'un autre moi *que celui que nous manifestons dans nos habitudes, dans la société, dans nos vices... En aucun temps, Sainte-Beuve ne semble avoir compris ce qu'il y a de particulier dans l'inspiration et le travail littéraire, et ce qui le différencie entièrement des occupations des autres hommes et des autres occupations de l'écrivain.*

A l'approche du paradis noëlien, il me fallait brandir ces deux textes, épées de feu qui interdisent aux profanes d'en passer le seuil. Ignorant donc la naissance, à Auxerre, le 16 février 1883, d'une certaine Marie Rouget, je ne connaîtrai que le poète Marie Noël. Tous les événements de ce que nous appellerons « la vie en prose », vous les trouverez dans *La Neige qui brûle*, le beau livre du découvreur et de l'ami de Marie Noël : Raymond Escholier.

Je me demande toutefois si, observé en toute rigueur, ce parti pris d'ignorer tout élément biographique ne nuirait pas à la connaissance de l'œuvre. De Proust et de Valéry, ces archanges qui, nous l'avons vu, barrent la route à la prose, ne faisons pas des gendarmes sans pitié. Séparer complètement le *moi* créateur du moi vivant, l'œuvre de l'auteur et la poésie du poète? Chirurgie impossible! L'amour vécu par Racine se retrouve dans l'amour qu'il prête — qu'il prête! — à Phèdre : sans cette « matière première » (ne disons pas commune) élevée à l'état de poésie, il n'y aurait pas d'amour de Phèdre. Le tempérament de chacun et les accidents de l'existence entrent dans la texture d'un poème : si Phèdre n'aime pas comme Chimène, c'est que Racine n'aime pas comme Corneille. Que ferions-nous d'une poésie désincarnée? Une poésie qui ne serait pas *d'une* personne ne serait, finalement, la poésie de personne. Et certes, Marie Noël ne raconte pas sa vie dans ses poèmes. Les exhibitions et effusions du moi romantique lui font horreur. Modeste, humble et même craintive, redoutant non seulement le bruit et la notoriété, mais, nous le verrons, tout regard posé sur elle, elle se cache dans ses poèmes. Mais cette voix anonyme qui s'élève vers notre jour banal a l'accent d'une personnalité riche, forte et

— ce que trop de critiques pressés n'ont pas su remarquer — embrasée et consumée par la passion. Redisons-le : c'est parce qu'elle est poète, elle seule entre dix mille, c'est parce qu'elle a « une voix de violon », que les passions de cette jeune fille nous retiennent; mais, sans passions, la voix de violon ne nous offrirait qu'un plaisir esthétique : elle ne nous atteindrait pas au cœur. Il y a quelque artifice, me semble-t-il, à vouloir séparer les souffrances et les joies de Marie Rouget de celles de Marie Noël. Ce sont les mêmes. Serait-ce, comme le pensait Valéry, négliger l'œuvre que de vouloir connaître la personne? Je crois au contraire que c'est se donner le moyen de la goûter dans la plénitude de sa sonorité vivante et de ses harmoniques. Le lecteur doit aller sans cesse du poème à la personne et de la personne au poème, et n'oublier jamais, ni que le poème est d'une personne vivante, ni que cette personne est un poète.

Mais j'ai honte de ces considérations laborieuses, quand Marie Noël a elle-même, d'un mot, d'un mot tout simple, tranché ce mandarinal nœud gordien : « Mon œuvre est moins une œuvre qu'une vie chantée. »

Une vie, *ma* vie, mais chantée, mais enchantée; en sorte que des milliers d'humbles vies, bientôt, vont faire cercle autour de cette vie modeste, se reconnaître en elle, se chanter avec elle, s'initier au secret de s'enchanter comme elle.

Des chansons avant toute chose • Non pas de la musique. Ni de la poésie. Des chansons ! C'est-à-dire, de toutes les expressions collectives, la plus naturelle, la plus ancienne, la plus durable, celle où le cri irrépressible se soumet au rythme pour, jaillissant d'un cœur trop plein, se propager de cœur en cœur et les unir tous dans une émotion commune. Dans la chanson, musique et poésie et mimique et danse fraternisent. Elles ne sont pas encore ces techniques séparées qu'on a tant de peine à faire collaborer, ces dames adultes, ces grandes dames un peu prétentieuses qui ne consentent plus à « s'donner la main » dans une ronde. La chanson est un enfant plein de dons qui n'a pas encore choisi entre ses dons, qu'on n'a pas encore introduit dans la forcerie des écoles spécialisées. C'est bien pourquoi la vraie chanson, même aujourd'hui, a je ne sais quoi de primitif que nous ne trouvons ni dans notre poésie ni dans notre musique — tellement savantes! Le danger, pour nos chansonniers, ne serait-ce pas de feindre une candeur qu'ils n'ont plus, de ne nous livrer qu'une ingénuité fabriquée, comme il arrive quand un adulte « fait » l'enfant? Il est si difficile — et pourtant si nécessaire, l'Évangile nous le dit — de rester ou de redevenir enfant!

Eh bien, l'enfance sauvegardée dans l'âge mûr et dans la vieillesse, dans la connaissance du Mal et l'expérience du malheur, tel est le miracle du chant noëlien. Bienheureuse Marie Noël, née en province, dans une vieille petite ville artisanale toute bruissante de chansons! Cette chanteuse a la voix naturellement chantante de ses grands-parents, tous maçons, vignerons ou « compagnons de rivière », qui ne pouvaient pas travailler sans chanter, qui chantaient, fredonnaient ou sifflaient, sur l'eau, aux vendanges ou sur les échafaudages. Elle appartient au même peuple que Péguy. Et au même temps. « De mon temps, dit Péguy, tout le monde chantait. » Chantait et improvisait. Chantait des chansons toutes faites qui déjà virevoltaient dans l'air de la rue, hachées par le vent, ou improvisait des variantes qui permettaient à chacun de mettre sa marque au passage sur ce qui était à tous, avant de le relancer vers tous. Tout en peignant ses gouaches, Max Jacob, nous dit-on, « chantait comme un ouvrier du bâtiment ». A la fin cela devenait une de ses fameuses « chansons bretonnes », encore plus jacobiennes que bretonnes.

Un souvenir à moi. Vous permettez ? Mon premier soir de caserne. Après l'extinction des feux, des voix dans le noir. Un gars lance un bref quolibet, complété par un autre à l'autre bout de la chambrée; et bientôt de toutes parts, fusent des répliques, construites sur le même mètre (comme nous dirions) et les mêmes assonances. Stupéfaction du bachelier que j'étais. Quelle fertilité d'invention chez les simples, et quel goût de la rime!

A Auxerre, Marie Noël (Barat par sa mère, Rouget par son père) a entendu ces dictons :

De la pâtisserie
Chez Barat on aura...
Pour de l'épicerie
Rouget en fournira.

Chez Marie Noël petite fille, on assonançait à plaisir et à n'en plus finir; et ce fut son premier apprentissage de poète. Elle raconte :

Henri (son frère) réclamait sans se lasser :

Un p'tit fusil

« *qui soit gentil* », *achevait maman, sans hésiter une seconde.*

Un p'tit chapeau
Qui soit très beau
Un p'tit képi
Qui soit joli...

Et toutes sortes d'accessoires militaires, voire d'outils de jardinage, que maman accompagnait, sans se tromper jamais, d'un mot qui répétait comme un écho la fin dernière de leur nom. Et c'était chaque fois, ce mot, une telle devinette, une telle surprise, qu'il fallait bientôt interrompre le jeu. Nous n'en aurions pas dormi!

Ainsi exercée, Marie Noël allait pouvoir s'approprier les chansons de tous et les si bien plier à sa propre inspiration qu'il sera plus tard malaisé de trouver celle qui donna le déclic à tel de ses poèmes.

Il n'en était arrivé à moi qu'à peine quelques bribes, quelques mots mal joints, épars, égarés, mais qui, semés en moi à l'aveugle, y germèrent et y firent lever mes Chansons à moi, celles que je commençai bientôt à me chanter au-dedans — quelquefois au-dehors — quand j'étais trop pauvre ou blessée.

« Je n'ai pas guéri des chansons... » • Blessée. Oui. Car ce qui éveilla à sa propre poésie ce poète-né, ce fut l'énorme charge de tristesse que, d'âge en âge, charrie jusqu'à nous la chanson populaire.

Rien n'est aussi triste, écrit Péguy, que nos chansons populaires, d'une aussi noble et aussi antique et aussi ancienne et aussi authentique et aussi profonde et grave tristesse et mélancolie. Nulle ne fait exception, ni celles qui parlent de guerre et de conquête, ni celles qui parlent de villes et de pays et de mer et de plaine et de voyage, ni celles qui parlent du trône et de la fille du roi... Les plus profondément graves et les plus profondément tristes et les plus profondément pieuses sont naturellement celles qui parlent d'amour. Et elles en parlent toutes.

A la maison, a écrit Marie Noël, « Jeanne, maman, grand-mère chantaient ». Et tel était le penchant de la petite fille à recueillir en elle toute la tristesse contenue dans une chanson, qu'elle défaillait. On taisait donc les paroles. Mais à quoi bon? Quelques notes provoquaient une crise. « L'air, l'air si triste, disait tout. »

Ces modulations gonfleront, soulèveront ses poèmes, qui ne seront jamais une simple réussite littéraire, mais un cri humain venu de très loin. « Je n'aurai jamais été une femme de lettres, a dit Marie Noël, mais serai toujours une fille sauvage qui aura chanté pour (les autres) comme ils auraient chanté eux-mêmes s'ils avaient eu leurs amours et leurs peines à dire. »

Chanter pour tous, exprimer, non pas des sentiments exceptionnels à l'intention des raffinés, mais, de la façon la plus simple, les émotions les plus communes qui sont les plus terribles et qui n'osent s'avouer qu'à l'unisson, c'est ce que lui auront appris les grands chants, ne disons plus populaires, mais du peuple. Ils étaient gais, bien sûr, comme partout, les repas de vendanges, chez son père. Mais elle tremblait, secouée comme par une rafale, quand s'élevait « pour finir », chantée « à toutes voix, la Chanson du vigneron :

Grand Guieu, qué métier d'galère!

que, dit-elle, j'ai sue d'enfance comme Notre Père ». Elle-même m'a raconté, il y a peu, qu'un jour elle se heurta, au détour d'une rue, à un énorme cortège de grévistes, d'où soudain un chant monta : *L'Internationale!* « Que c'était beau! Que c'était beau! » (Ce disant, elle a les mains et le visage levés dans une attitude d'orante extasiée.) « Rentrée chez moi, j'ai écrit la musique du *Cantique de Pâques.* »

On s'étonne parfois : comment Marie Noël a-t-elle pu exprimer des sentiments étrangers à sa condition : ceux de la « maumariée », par exemple, ou encore ceux de la mère qui allaite, ou qui voit mourir son enfant? Mais ces thèmes très simples, ces « lieux communs » reviennent sans cesse, avec l'amour attendu, comblé ou déçu, dans l'éternelle chanson, qui les ressasse et les rajeunit. Marie Noël apprit très tôt à ouvrir son cœur, à le laisser traverser et remplir par ces sentiments qui passent dans la rue comme l'air et le vent, qui unissent les hommes et que les pauvres — les pauvres surtout — se partagent avec leur pain. Il fallait le dire : ce dépassement de soi vers autrui, cet unanimisme, tout cela pénétra d'abord en Marie Noël avec le rythme allègre ou dolent de la chanson populaire.

Que là fût sa patrie, elle le sentait si bien qu'elle ne se jeta pas d'abord sur la littérature, mais, d'instinct, sur les chants prêts à sombrer dans l'oubli. Un beau jour fut celui où elle découvrit « un vieux recueil (il date de 1750) de tous les noëls, — que tenait ma grand-mère de son grand-père à elle, qui le tenait de je ne sais plus quel vague ancêtre ». Avide, elle laisse descendre en elle « tel chant étrange sur un mode ancien très triste : *La nourrice qui m'a nourrie*, dont j'ai malheureusement perdu les paroles, mais qui, sûrement, aura fait lever en moi des paroles qui leur ressemblent. » « ... J'allais à la cueillette chez les vieilles femmes des vieux quartiers vignerons qui savaient encore les chansons que ne connaissait plus personne. Je les faisais chanter. Parfois elles refusaient quand les paroles de la chanson n'étaient pas convenables... Faute de paroles, j'attrapais l'air, je le saisissais au vol, je le notais, il était pris. »

Ou encore, ce sont deux jeunes gars, tailleurs de leur métier, qui lui apprennent

la Chanson des scieurs de long, *d'un si beau rythme, avec ces syllabes hurluberlu qui scandaient, sans aucun sens, le mouvement de la scie; les chansons de mariage où alternaient les garçons qui demandaient la fille et les filles qui refusaient; ... la* Chanson du Rossignolet, *mélancolique et douce, et surtout la complainte du* Soldat par amour, *lente et désolée comme un enterrement qui passe.*

Étonnez-vous après cela si les poèmes de Marie Noël sont structurés, avec couplets et refrains, comme des chansons. Un signe, d'ailleurs, de cette dépendance : le mot « chanson » (ou « chant ») revient soixante fois dans les titres. Et je n'ai pas compté les « berceuses », « noëls », « cantiques », « hymnes », « danses », « bals » et « rondes ».

Il serait facile de montrer comment ces cantilènes et ritournelles dérivent tout droit des *cantiones* du moyen âge. Beaucoup d'entre elles, mélancoliques et pourtant allègres, pieuses et de ton libre, pourraient être dansées par des jeunes filles dans une clairière ou sur une place de village. Elles sont trop nombreuses pour que je les cite. Mais d'autres, non moins traditionnelles, ont une scansion martiale. On dirait que cette compatriote du capitaine Coignet est née avec, dans l'oreille, les roulements de tambour de la plus vieille comme de la plus jeune France. A la fin de chaque couplet (je n'en donne que trois) de ce *Chant du chevalier*, on croit entendre le rrran des anciennes marches :

Il était noble, il était fort.
Il se battait pour une reine.
Il était noble, il était fort
Et fidèle jusqu'à la mort.

Haut l'épée, il se tenait droit.
— C'était la plus faible des reines —
Haut l'épée, il se tenait droit
Pour la défendre, elle et son droit.

Il mourut pour sa reine un jour.
— C'était la plus pauvre des reines —
Il mourut pour sa reine un jour...

Il aimait une autre d'amour.

« J'étais possédée d'un rythme » • Strictement scandés, les vers de Marie Noël ne donnent pourtant jamais l'impression, comme ceux de tant de rhétoriqueurs anciens et modernes, d'une fabrication laborieuse. Enfermés dans un moule ? Non pas, mais enlevés par un rythme. Foin de la métrique et des pieds comptés sur les doigts ! « Le mètre est au rythme ce que la chaussure est au pied vivant », a écrit Marie Noël. Le pied vivant qui danse et qui fait entrer dans la danse âme, corps... et mots.

Invitée par *La Revue musicale*, en janvier 1952, à donner son « témoignage », Marie Noël écrira : « Je n'ai jamais été qu'une chanteuse, conduite par un rythme intérieur. Aucun livre, ou presque, n'y fut pour rien... » Ses premiers professeurs, au lycée, avaient d'ailleurs décidé qu'elle n'avait pas le sens littéraire. Ce dont elle convient volontiers : « Il n'y a rien de commun entre le sens littéraire et les chansons que je me chante... A moi, les mots ne venaient pas. Ils ne me sont jamais venus. C'est le rythme qui me prend. Ce sont des coups de sentiment qui me font trouver les mots. »

J'étais possédée d'un rythme. Un vrai démon. C'est lui qui m'a usé le cœur.

Un roulement de tambour, un branle de cloche, deux ou trois notes scandées, une simple phrase cadencée, j'entrais en danse, mon cœur battant. Il fallait le calmer, l'arrêter, s'en rendre maître.

A dix-huit ans, quand j'étais émue ou en colère, ma parole aussitôt se rythmait... Mon père l'entendait et m'imposait silence... En somme, j'étais, comme pas une fille, danseuse jusqu'aux sources du corps.

Non, elle n'allait pas au bal, la fille du professeur de philosophie. Et pourtant, elle a eu son « pont du Nord »; elle a dansé, au son de la vielle, en vacances, dans un village; et quand elle s'en souvient, nous la sentons encore tout étourdie :

Le patron de notre auberge m'avait appris la bourrée... Je la dansais assez bien, frappant du talon, jetant les bras, virevoltant devant mon cavalier... La danse n'arrêtait pas de toute la jour-

née... A dix heures, papa m'envoyait coucher à cause de ce cœur qui n'en pouvait plus... Mais, couchée, la salle de danse trépidait sous mon lit. Je n'y tenais plus, je me relevais et, pieds nus, en robe de nuit, je dansais toute seule avec ceux d'en-bas.

Je me méfierais d'une prétendue poétesse qui ne serait pas un peu bacchante. « Beaux sentiments » égale « mauvaise littérature »? Archi-fausse l'assertion d'André Gide. Et l'œuvre de Marie Noël en est l'éclatante preuve. Mais, au fait, ce que Gide, un peu manichéen, appelle « la collaboration du démon », ne serait-ce pas la collaboration de la chair et du sang? Comme si Dieu n'en était pas le créateur! Mais c'est très vrai : on n'est pas poète sans un frémissement rythmé qui monte du corps, ébranle tout l'être et le subjugue. Et, à travers le corps, ne sont-ce pas certaines forces telluriques et le cosmos tout entier qui cherchent issue, expression et même parole articulée? Rien de tout cela n'est spécifiquement ou chrétien ou païen, si c'est Dieu qui a créé ciel et terre. Poète en prise directe avec « la mer et les vivants », Claudel était perpétuellement traversé et mis en transe par le tumulte cosmique : d'où les geysers des *Grandes Odes*. Quant à la pythie de Delphes et à la sibylle de Cumes, elles parlaient, nous dit-on, au-dessus de crevasses volcaniques : les vapeurs montant de la terre les mettaient en état de délire. Étonnons-nous, après cela, si les plus grands poètes sont quelque peu « sibyllins » ! Mais en dehors de ses crises, une sibylle peut s'expliquer sur son cas le plus clairement du monde :

On n'est pas poète ou, du moins, je ne l'ai jamais été de façon continue, écrit Marie Noël. La poésie survenait avec le rythme : un ébranlement profond qui groupait les mots dans un certain ordre comme un courant d'eau ou de vent qui rassemble des brindilles dans un certain sens.

Ce rythme est nettement lié à un état de corps plutôt que d'âme. C'est un battement de cœur plus profond que le cœur même.

Naturellement, quand il se produit, il se sert de ce qu'il trouve dans l'âme — bon ou mauvais — et le révèle. Mais, serais-je sainte, grand penseur, artiste même, chargée de grâce, de lumière et de beauté, j'en puis faire des livres, des discours et toutes sortes d'œuvres remarquables, non pas un seul chant *si le rythme ne me prend aux moelles et ne s'en mêle.*

La tentation, pour le poète en proie au rythme, ce serait d'en jouir paresseusement, de se laisser emporter par le délire — le délice — de la vague, sans passer aux mots, sans écrire.

Quand j'écris, par moment je tombe sur un vers ou deux dont le charme m'ensorcelle, m'enivre, me berce, m'endort. Je suis tellement enmusiquée qu'il n'y a plus moyen de penser outre, de forcer les mots à venir. Il faut m'arrêter, me distraire, faire un grand effort pour me dégager du chant où je reste prise et ressaisir le sens de mon ouvrage, sans quoi tout se dissoudrait en silence.

Le difficile, c'est que le silence musical, une fois revêtu de mots, n'en soit pas surchargé, rompu. « Le plus beau chant, écrit Marie Noël, est celui qui contient le plus grand silence. » Mais comment passer sans encombre du silence originel — celui de l'âme profonde, de la terre, des sphères — au silence du poème? Écoutons Marie Noël : tout poète complet a son art poétique.

Au commencement, la rencontre...
Un chant m'est né. Un cœur qui bat, ... un mouvement de mots, de syllabes qui, lointainement ébranlés, se groupent soudain comme pour une procession ou une danse sans me demander ordre ni conseil.
C'est ici que j'entre en besogne. Ici que commence le jeu difficile : saisir le rythme, le fixer — sans l'arrêter — dans sa vie la plus libre, la plus pure, en le dépouillant de tout ce qui pourrait couper ou embarrasser sa ligne de vol.
... Alors je biffe, râture, efface sans miséricorde.
Puis le poème est jeté aux oubliettes pour y mûrir en patience.
Trois mois passent, six mois, un an, davantage. Puis un jour, il me rappelle, je lève le sceau. Il m'apparaît avec ses notes fausses, ses taches criardes.
... Je tends de plus en plus à dévêtir le mouvement, à laisser l'émotion nue...
Jusqu'au jour où je le revois dans sa nudité natale...
Alors je retrouve la joie de la première rencontre.

Autre façon de dire comment *naît* un poème, comment l'inspiration s'emmembre, prend corps :

Dans l'œuvre d'esprit comme dans l'œuvre de chair, la puissance mâle, le génie, engendre; la puissance femelle reçoit et développe. C'est elle qui par talent — travail, patience et longueur de temps — conduit à fleurs et à fruits la semence inspirée qu'elle a reçue.
Certaines œuvres — tant d'hommes que de femmes — ne sont

que réception et développement sans génie. Certaines autres, inspirées, mais sans patience ni talent, restent ébauches et avortent.

L'artiste créateur doit être à la fois mâle et femelle.

De tels mots n'annoncent pas une poésie désincarnée ! Mais je n'ai pu les lire que récemment dans les *Notes intimes*.

Auparavant !...

Confessons-nous.

II

« CONNAIS-MOI SI TU PEUX... »

JE m'accuse. Comme beaucoup d'autres, j'ai cru longtemps que la poésie de Marie Noël manquait de poids. La candeur d'une jeune fille, une piété sans ombre, une foi sans trouble, c'était, de nos jours, d'une telle rareté que je dégustais tout cela comme on goûte la fraîcheur d'une glace à la fin d'un repas pimenté. Mais, passé l'effet de surprise, j'oubliais. Pour tout dire, je croyais à une poésie fondante, fondante comme ces petits jésus en sucre de mon enfance qui ne résistaient guère à une piété trop gourmande et que je ne pouvais pas admirer plus d'une fois.

Au fait, puisque je m'interroge, n'avais-je pas un parti pris contre toute poésie féminine? L'aisance, nous l'accordons aux femmes, et ce tour de main qui leur permet de réussir une lettre ou un compliment rimé comme elles font un chapeau ou un bouquet. De la grâce, oui, et du charme, mais trop peu détachés d'elles pour qu'on puisse parler de créations, d'œuvres d'art.

Et comme j'écris ces lignes, voilà que je retrouve quelques lettres d'Alexis Léger à Gabriel Frizeau, découvertes naguère par moi dans les archives de ce dernier. Le 19 septembre 1908, le futur Saint-John Perse (il avait alors 21 ans) écrivait à son confident, Gabriel Frizeau : « ... Je n'aime pas plus que vous l'encre femelle, ah ! fichtre non !... Car il n'y a pas une seule femme qui comprenne l'énormité, dans sa bouche, de ces trois mots : « vivre sa vie ! » — Au fond, celles qui poussent le plus haut le cri des Bacchantes se nourrissent de fleurs de papier, de morceaux de tapisserie comme les chèvres des rues. Et leur littérature, comme leur art, a toujours quelque chose de marginal et de cul-de-lampe; il ne me semble pas que le goût féminin s'affranchisse jamais de la boîte à mouchoirs ou à papier à lettres. » Et, « avec des éclats de rire féroces », le jeune poète réclamait, contre les femmes-poètes, « le fouet de Tête d'Or ».

Tout étourdi de la lecture de *Tête d'Or*, que Frizeau venait de lui prêter, et où les femmes, traitées de « femelles » et de « juments », étaient furieusement écartées d'un destin qui se voulait sans faiblesse, le jeune Léger regardait de très haut l'escadron des poétesses qui faisaient alors grand bruit, qu'il appelait les Bacchantes et que Henri Clouard nommera les Amazones : Lucie Delarue-Mardrus, Renée Vivien, Gérard d'Houville, Marguerite Burnat, Cécile Sauvage, précédées par Anna de Noailles dans leur course tempétueuse à la gloire.

Or, en cette année 1908 où Alexis Léger édictait son exclusion sans réplique, une jeune fille aussi inconnue que lui, et qui restera, sa vie durant, aussi crispée que lui contre toute publicité, écrivait, dans le silence de la province, son premier poème un peu étendu : *Les Heures*. Saint-John Perse connaît-il seulement

Marie Noël? Maintiendrait-il, s'il la lisait, son raide jugement sur « l'encre femelle »? Je l'ignore. Je sais seulement que ni *Les Chansons et les Heures* en 1920, ni *Les Chants de la Merci* et *Le Rosaire des Joies* en 1930 ne m'avaient convaincu qu'une femme pût être un grand poète. Il me fallut — ô honte ! — attendre 1947 pour être détrompé.

Cette année-là parurent les *Chants et Psaumes d'automne*, dont j'appris que, composés bien avant, ils avaient été tenus cachés, comme on dissimule un visage où se lit un trouble trop grand pour ne pas troubler le plus distrait des passants. Cette fois, aucun doute n'était plus permis : nous n'avions pas affaire à une rimeuse par oisiveté ou pour obéir à une mode. De ces vers, un cri montait, irrépressible, un « hurlement » de bête blessée, une interrogation qui atteignait le Ciel, parfois même une protestation qui l'accusait. Toute l'angoisse que peuvent inspirer la misère et surtout l'ignorance de notre condition avait passé par cette frêle femme, qui avait trouvé en elle assez de force pour mater son désarroi en l'exprimant. Du coup, la poésie de Marie Noël prenait une valeur universelle, car elle évoquait le mal dont souffrent tous les hommes en tous les temps. Mais, d'autre part, cette poésie nous apparaissait singulièrement actuelle : n'est-ce pas en effet notre époque qui a brutalement dévoilé les troubles de l'inconscient et l'angoisse de vivre? Présentant Marie Noël, l'abbé Bremond avait parlé de « gaminerie angélique ». Comment ce connaisseur, non seulement de prière mais de poésie, put-il se tromper à ce point ? Ni lui ni nous n'avions lu les *Chants d'automne*. Il est vrai. Mais l'excuse est imparfaite. Car, relisant les premiers recueils, nous y découvrons, sous des accents légers et gais, la même tonalité grave que dans les *Chants d'automne*. La gaieté était voulue, la gravité involontaire. Et n'est-ce pas ce qui est involontaire qui est poésie authentique? Oui, l'aveu pouvait se lire — si nous avions su lire — dès le premier poème qui ouvre le premier recueil. Ce poème, je l'ai déjà cité. Mais l'avons-nous bien lu?

Les chansons que je fais, qu'est-ce qui les a faites?
Souvent il m'en arrive une au plus noir de moi.
Je ne sais pas comment, je ne sais pas pourquoi,
C'est cette folle au lieu de cent que je souhaite.

« Au plus *noir* de moi ». « Chanson *folle* ». Noirceur, folie : mots clefs qu'il suffisait pourtant de remarquer. Nous les retrouverons sans cesse dans le reste de l'œuvre. En écrivant ses premiers vers, Marie Noël eut donc conscience d'un trouble profond. De grandes eaux sombres commençaient de s'agiter et de monter au fond d'elle-même. Son premier mouvement fut de cacher aux autres — nous en dirons bientôt la raison — sa vérité la plus vraie. Mais pourquoi écrire, sinon pour être connu? De là le deuxième poème du premier recueil, l'adjuration pathétique :

Connais-moi si tu peux, ô passant, connais-moi!
Je suis ce que tu crois et suis tout le contraire.

Je suis et ne suis pas telle qu'en apparence.

Connais-moi! connais-moi! Ce que j'ai dit, le suis-je?
Ce que j'ai dit est faux — Et pourtant c'était vrai! —
L'air que j'ai dans le cœur est-il triste ou bien gai?
Connais-moi si tu peux. Le pourras-tu?... Le puis-je?...

« Le puis-je? » Car elle-même est déconcertée. Personne ne connaît personne, et personne ne se connaît : ne connaît son propre abîme. Dieu seul peut-être?

O passant, quand tu verrais
Tous mes pleurs et tout mon rire,
Quand j'oserais tout te dire
Et quand tu m'écouterais,
Quand tu suivrais à mesure
Tous mes gestes, tous mes pas
Par le trou de la serrure...
Tu ne me connaîtras pas!

Et quand passera mon âme
Devant ton âme un moment,
Éclairée à la grand'flamme
Du suprême jugement,
Et quand Dieu comme un poème
La lira toute aux élus,
Tu ne sauras pas lors même
Ce qu'en ce monde je fus...

Déjà le mot « jugement », qui éclatera dans les *Chants d'automne*, qui deviendra le titre du plus déchirant poème de Marie Noël : le sommet de l'œuvre. Désespérant alors d'être connue par les hommes et de se connaître elle-même, elle osera se présenter, honteuse et tremblante, devant Dieu, pour lui demander : « Qui suis-je donc? »

Marie Noël va confier son secret à ses vers, mais sans le trahir.

Elle chantera des chansons gaies pour tromper ses proches, mais plus tard elle s'accusera : « J'ai menti. »

Je m'accuse... Sur moi je jette ce vain bruit
De sagesse pareil au leur. De son frivole
Je m'enveloppe, je me couvre de paroles,
Pour qu'ils ne trouvent pas le silence où je suis.

J'aurais laissé mon âme ouverte, si j'avais
Eu dans l'âme un beau temps et de claires allées,
Mais seule dans ma nuit je me suis en allée
Comme un chien dangereux dont quelqu'un se défait.

Non, personne ne saura. Elle surveille tous ses mots, crainte d'étonner les quiets, de les scandaliser peut-être :

Et si ma vérité me revient en plein jour
Comme un crime échappé qui sort d'un lieu farouche,
Je cours, je la jugule et j'arrête sa bouche
De cavale sauvage à l'anneau de la cour.

Muette, je la tiens, captive sans merci,
Je la tiens, pour sauver, à force de me taire,
Ceux-là qui sont assis tranquilles sur la terre.

Il existe donc un secret de Marie Noël. Mais peut-être sommes-nous excusés, Bremond et nous tous avec lui, de ne l'avoir pas même soupçonné, puisque Marie Noël confesse avoir obstrué tous les chemins qui auraient pu nous en livrer l'accès.

... Si quelqu'un y passa,
Il est toujours resté plus ou moins en deçà
De l'ombre où j'ai ma source et mon trouble et ma flamme!

La « source » de sa poésie, aucun ami, nul critique ne l'a visitée. Elle a beaucoup chanté ? Elle n'a rien dit. « Il faudra donc mourir inconnue », dit-elle dans son *Testament* :

> *Je donne en vain ma nuit d'âme et de corps,*
> *Ma vérité qu'à nul je n'ai montrée,*
> *Mes sombres temps, le noir de mes chemins*
> *Et ce penser qui m'a tordu les mains...*
> *La grand'douleur qui me cherche à la ronde,*
> *La grand'douleur d'être exilée au monde...*
> *Je donne à vous alentour la détresse*
> *D'un cri qui tourne et n'est pas entendu,*
> *Qui tourne, crie... et la pauvre tendresse*
> *Que j'ai dans moi comme un pays perdu.*
> *Je donne à vous la blessure enfermée*
> *Qui n'ose pas au jour être nommée,*
> *Qui n'attend rien que de mourir tout bas,*
> *Hors de pitié, et qui ne parle pas.*

L'imagination prend le maquis • Qu'y avait-il dans ce secret ? J'essaierai bientôt de le dire. Mais, d'abord, pourquoi ce repli apeuré sur soi, ce refus de communication, cette langue liée ?

Première explication, très banale, qui n'est pas sans vérité, mais que je crois insuffisante, et dont les biographes risquent de se contenter : parbleu, diront-ils, elle redoutait l'incompréhension des siens !

Il est vrai : l'époque, le milieu surtout étaient à la prose. Et comment la petite et surtout la jeune fille se fût-elle confiée à l'agrégé de philosophie qu'était son père ? Raymond Escholier, qui a connu Louis Rouget, le décrit ainsi :

« C'était un homme grand et sec, barbu (deux pointes grises au menton) comme on l'était alors dans l'Université, le regard volontiers inquisiteur sous la glace du lorgnon.

« Louis Rouget appartenait bien à sa génération, dont les chefs de file s'appelaient Taine, Paul Bert, Littré. C'était un esprit positif, imprégné de Kant et de Spencer. »

Grande génération, j'en conviens, que cette génération de professeurs, mais dont la poésie ne se souvient pas sans trembler. Pour ces « honorables messieurs », comme les appelle Jean-Paul Sartre (mais il a tort de se moquer), le professorat était un sacerdoce. C'étaient des laïcs militants. A Dieu, qu'ils prétendaient mort, ils substituaient la Loi, qui l'a toujours été. Tout de noir vêtus, comme les prêtres dont ils prenaient la relève, ces nouveaux clercs enseignaient une obéissance qu'ils savaient sans joie : non plus à une Personne, par amour, mais à la Raison, par logique. Mais le Devoir est une divinité anguleuse et plutôt froide. Impitoyable aussi : elle manque d'un cœur pour pardonner. En somme, ces universitaires ne gardaient de la tradition religieuse française que sa tendance janséniste. Rappellons-nous Paul Bourget : cet ancien condisciple de Louis Rouget à Louis-le-Grand restera, dans ses romans, doctrinaire et prédicant plus qu'artiste et, même après sa conversion, moins vraiment religieux que moraliste. On se méfiait de l'imagination et de la fantaisie, ces ennemies de la raison. Et la poésie n'était admise dans l'éducation que les ailes rognées. Marie Rouget a-t-elle connu certain discours de son père ? Sujet : la Discipline. S'adressant aux parents de ses élèves : « L'enfant, disait Louis Rouget, n'est pas sans malice : il est indiscipliné par goût, agressif même. » Je crois bien, et d'autant plus que plus impitoyablement courbé sous une discipline. Certaine agressivité de Marie Noël contre l'infaillibilité des clercs en robe ou en veston, contre l'inquisition et les jugements des bien-pensants, n'a sans doute pas d'autre origine.

J'invente? J'introduis ici mes idées personnelles? Mais non. Qu'on ait voulu percer le secret de la jeune fille et qu'elle en ait souffert, c'est d'elle-même que nous le tenons :

Louis Rouget était lucide à faire peur, nous dit sa fille. *On ne pouvait pas errer une minute avec lui. Cette lucidité aiguë, ça faisait mal au rêve. Quand je racontais une histoire, il disait : « Tu brodes ! enlève ce que tu brodes !... » Pour lui, la vérité (était) une espèce de Dieu plus sévère encore que l'autre. J'étais, à ses yeux perçants, « la brodeuse », « la conteuse », celle qui invente ce qu'elle dit. Il me faisait, tout vifs, éplucher mes beaux récits et en ôter — le plus beau ! — ce que j'y avais ajouté.*

Ajouté? Je n'ajoutais rien.

Ah ! laissez-moi enfin aujourd'hui me défendre, toi, papa, qui fus injuste et, avec toi, tous les autres ! Je ne mentais pas, je voyais, je voyais la vérité que n'apercevait personne.

« Je voyais ». Une voyante, en somme ! Et qui avait raison contre tous. Il fallait du courage pour continuer de le penser. Mais comment le dire? Le père eût ironisé, se fût fâché. La future conteuse se fermait. Alors, le père : « Ah ! tu en as, toi, une arrière-boutique ! »

Une arrière-boutique, remarque-t-elle : *il fallait bien. Com-*

ment mettre à l'étal tous ces rêves à peine éclos, ces espérances nouvelles-nées qu'un rayon trop aigu pouvait tuer?

Marie Noël va protester : son père, au demeurant, était bon et non dépourvu de fantaisie. Elle reste fière de lui. N'empêche : il était un de ces éducateurs des années 80 sous lesquels Paul Claudel, Romain Rolland et André Suarès pensèrent étouffer, et contre lesquels ils se révoltèrent. Et leur révolte libéra leur génie. Marie Rouget était plus gênée : l'éducateur, c'était son père. On peut donc parler d'une révolte rentrée, et qui ne pouvait trouver issue que dans des poèmes apparemment impersonnels.

Je gardais pour moi le chant de la folie comme un secret passionné de jeunesse qu'il convient de cacher aux vieillards. ... C'est en ce temps-là, de 1902 à 1905, que j'ai trouvé peu à peu ma forme — la chanson quasi légendaire — pour délivrer, sans la révéler, ma vérité profonde. Dans la chanson, je me suis à la fois toute livrée et toute cachée, je veux dire que le sentiment en est plus vrai qu'aucune de mes paroles vraies de tous les jours, mais qu'il s'y joue en d'irréelles circonstances.

L'imagination où j'ai trouvé alors tant de cachettes n'aura plus cessé d'être depuis mon multiple refuge, mon maquis et mon déguisement perpétuel.

En sorte que sa peine s'est engouffrée dans ses poèmes et dans ses contes, sans qu'il y soit jamais question d'elle. Elle avouera par exemple : « L'histoire de la paysanne et du boulanger... m'a seulement servi de « couverture » pour Cendrillon. Cendrillon, c'est moi... Je me suis cachée derrière la paysanne. »

(Couverture : admirons en passant le bon aloi d'une telle langue. Marie Noël sait-elle que Christine de Pisan avait écrit :

Pour celer ma peine obscure,
Je chante par couverture.)

Le pli du secret sera si bien pris que, la notoriété survenant, Marie Noël souffrira de la curiosité du public et, comme elle dit, de « ces yeux affamés » plantés sur elle et avides. « Aussitôt, dit-elle, je me repliai, je me rétractai. » Longtemps elle se refusera à livrer autre chose que ce qu'elle appelle « mon eau douce ». — « Mais pas ma vérité... Pas les grands flots amers, pas les violentes marées de la mer du Secret qui n'est qu'à moi seule. »

Toutefois, que le refoulement causé par le milieu familial soit une explication insuffisante, ces derniers mots nous le font soupçonner. Nous le suggère aussi la belle page qu'il me faut citer. Nulle trace, ici, d'agressivité. Mais le calme qu'inspire une haute vocation, exceptionnelle sans doute et douloureuse, mais acceptée. Marie Noël se présente maintenant comme une religieuse à vœux perpétuels : front lisse et candidement ouvert, mais lèvres serrées, — serrées sur une vie intérieure si bouleversante et ardente qu'elle nous dépasse... et dépasse celle même qui la vit. Comment livrer le « Secret du Roi » ?

Comme une moniale.
A tous prêtée. A aucun donnée.
Personne n'a franchi ma clôture, violé mon silence.
Tous les curieux qui sont venus, tous les passants qui sont passés, tous les voisins, tous les proches, je les ai reçus de mon mieux, sur le seuil, comme la portière du couvent qui renseigne

et sert les visiteurs avec une humble courtoisie. J'ai beaucoup répondu — peu interrogé — et j'aurai beaucoup souri sur le pas de la porte.

Mais personne n'a pénétré dans la grande solitude du dedans, sauf, de loin en loin, quelque ami rare. Certains, les plus sûrs d'eux-mêmes, ont cru avoir la clef et j'ai cru aussi qu'ils l'avaient. Ils sont entrés. Et, dès l'entrée, ils se sont trompé de chemin et je les ai reconduits doucement à l'extérieur en leur donnant quelques fleurs du jardin, du miel des ruches ou des images. Et ils s'en sont retournés satisfaits, croyant avoir visité le monastère et s'être entretenus avec l'abbesse. Mais ils n'avaient parlé qu'à la tourière.

Le maquis ? Pas seulement : la poésie a pris le voile.

« Ce grand cri sombre de naissance... » •

Si l'on veut retrouver la « source » de la poésie chez Marie Noël, il faut décidément remonter au-delà de la biographie : comme elle-même a tenté de le faire dans *Petit-Jour*. Il y a là quelques pages où le sourcier que doit être le critique sent que sa baguette s'impatiente dans ses doigts. Ici est le point secret et profond d'où le flot poétique ne cesse pas de jaillir. Tout ce qui, dans l'œuvre, s'en rapproche est marqué par le jet raide et pur de l'inspiration. Le reste, ce qui s'en éloigne, est retombée, abandon à la pente, mélange, chute progressive dans la prose. Supervielle intitulait *Boire à la source* le récit de ses enfances. Marie Noël titre le sien : *Petit-Jour*.

Dans *Petit-Jour*, nous la voyons rechercher à tâtons les toutes premières impressions de sa prime enfance. Pour d'autres écrivains, presque tous ceux du XVIIe siècle, seul compte l'âge mûr, le plein midi de la raison. D'autres, Alain-Fournier par exemple ou François Mauriac, reviennent à leur adolescence, y musent, s'y blottissent, l'exploitent sans fin. Mais Marie Noël remonte bien plus haut. Le premier lieu d'élection de sa pensée et de son rêve, c'est, au-delà même de l'enfance, l'instant où elle émerge de la grande Nuit. Le second, ce sera la mort : l'instant où la Nuit nous reprend. Tout se passe comme si, fille des ténèbres, Marie Noël ne se trouvait en sûreté que dans le sommeil d'avant et d'après cette vie. Le jour cru de la conscience la blesse. Et cette vie-ci est pour elle comme un pays sans chemins, où elle ne cessera de s'égarer, où nulle place n'est prévue pour elle. Écoutons-la. Début de *Petit-Jour* :

Je pars aujourd'hui derrière moi pour aller à la découverte. Je voudrais, si je peux, retrouver ma naissance.

Naître est une grande aventure dans l'obscurité. Et peut-être naître et mourir sont la même, aux deux extrêmes bords de la vie claire, que deux crépuscules, celui de l'aube, celui du soir, amènent de l'ombre éternelle et y ramènent.

Elle parle d'elle-même comme d'une « créature singulière restée à demi plongée dans le songe natal, ... qui ne fut jamais tout à fait *née* et qui tremblera (notons ce mot) toute sa vie, parce qu'elle garde, mêlé à ses âges de plein jour, un âge d'ombre antérieure qui la rappelle à lui ».

Elle s'est « aventurée » dans le jour comme dans une « vie étrangère ». Et qu'y a-t-elle appris? Rien. Toute son expérience acquise n'est que « la carte usagée d'un autre pays », — pas du sien.

Renonçant donc, dit-elle, *à toute biographie, aux* « *lieux, dates, faits, noms, visages, voix, paroles* », *je refluerai, pour me trouver, vers ma naissance, vers cette heure où subsistait en moi, à peu près intact, le souvenir de l'en-deçà. Je veux retrouver mes commencements dans la région crépusculaire où il y a encore des monstres et pas de chemins.*

C'est avec effroi qu'elle a ouvert les yeux. Chez elle, la peur est congénitale. Et, si je ne répugnais à user de grands mots, je dirais qu'elle est métaphysique. Où donc est sa patrie ? Nulle part. Dans *Prières d'Avant la vie, de Pendant et d'Après*, elle se représente, avant de naître, suppliant Dieu de ne pas la jeter dans le monde :

Seigneur, qui tenez entre vos doigts mon âme
Comme une chandelle
De pissenlit mûr dont le vent vous réclame
Ailleurs les cent ailes;

qui la tenez frémissante au bord du monde... O Dieu! qu'allez-vous faire ?... Ah! ne me livrez pas si faible à l'espace... Laissez-moi sans vivre, ... laissez-moi sans être !

N'ouvrez pas au jour hostile qui s'élance
La nuit de mon somme,
Pour me jeter tremblante encore de silence
Dans le bruit des hommes.

Une curieuse page des *Notes intimes* fait écho à ce poème. Elle montre bien comment on peut garder, au sein d'une vie chrétienne qui est celle de tout le monde, une sensibilité très personnelle et décidément très originale. Renoncer à ce « grand cri sombre de naissance » dont elle va parler, c'eût été pour Marie Noël renoncer à sa principale source d'inspiration.

C'est étrange que, toute jeune et petite, à l'âge de ma plus grande foi et de mon plus grand amour pour l'Amour invisible, j'aie toujours eu dans l'ombre du sang ce grand cri sombre de naissance que Dieu même n'a jamais apaisé.

J'étais jeune — quel âge? — nous allions à la prière du soir et j'entrais, les mains jointes, dans le doux silence de Dieu. Le prêtre disait tout haut les formules de la prière que je répétais à voix basse avec lui, le cœur gros de piété vive. Mais quand il commençait la seconde oraison : « Que vous rendrais-je, ô mon Dieu, pour tous les biens que j'ai reçus de vous? Vous avez songé à moi de toute éternité. Vous m'avez tiré du néant... », *brusquement, mon cœur s'arrêtait de prier.*

Vous m'avez tiré du néant... Je me taisais, je laissais passer sans les dire ces mots de la prière...

Mais je ne pouvais pas, non! Je ne pouvais pas Le remercier de « m'avoir tirée du néant » *et, encore aujourd'hui, je ne le peux guère. J'eusse préféré qu'il m'y laissât, à l'abri de ce grand trouble de vivre et de mourir, oubliée indéfiniment dans le sommeil sans péché ni malheur où les âmes ne sont pas réveillées encore.*

Mais « Il m'a tirée du néant ». *Ah! Seigneur! Seigneur! qu'avez-vous fait?*

Nous le verrons : sa pente l'entraînera sans cesse vers l'obscurité. Être oubliée, demeurer tapie dans le « noir », retourner à la « nuit » originelle : voilà l'étoffe de son rêve, la trame sombre sur laquelle joueront les dessins, souvent gais et clairs, de sa poésie. Mais voici qui est plus étrange : ses yeux cilleront, et elle sera comme offusquée à la seule pensée d'*entrer*, l'âme éveillée et nue, au paradis, de *pénétrer* dans l'éclat des voix célestes et le fracas d'une lumière sans pitié, de *s'exposer* au perçant de tant de regards. Le néant tentera cette chrétienne. Car Dieu lui fera peur. Le Dieu de l'Ancien Testament ? Trop de foudre pour elle et trop d'éclairs ! Elle perdra Dieu ! Ce sera l'heure des ténèbres... Mais c'est dans la Nuit, sa vraie patrie, qu'elle retrouvera son Seigneur : ses yeux s'accommodant peu à peu, elle Le reconnaîtra enfin dans le « petit-jour » de l'Incarnation, dans la faiblesse et le mutisme d'un enfant, dans la clarté atténuée de Noël. Et c'est alors seulement qu'elle consentira à vivre : la main dans la main du Christ, que craindrait-elle ?

Mais n'anticipons pas. En attendant, elle a peur. *Petit-Jour* nous raconte ses terreurs enfantines, qui rappellent tellement celles de Julien Green, cet autre familier de la Nuit. Et que de fois elle s'est représentée, petite fille perdue, égarée dans l'espace trop ouvert, dans « les pays grands », dans « le vent du monde ». Une fille « sauvage », qui n'est « pas d'ici », « ne ressemble à personne » et doit « chercher ailleurs sa place » : telle est Marie Noël, si l'on en croit ses poèmes et ses contes, et en particulier tel poème de jeunesse intitulé justement : *Cherche ta place* :

Je m'en vais cheminant, cheminant, dans ce monde,
Chaque jour je franchis un nouvel horizon.
Je cherche pour m'asseoir le seuil de ma maison
Et mes frères et sœurs pour entrer dans leur ronde.

Mais las ! J'ai beau descendre et monter les chemins,
Nul toit rêveur ne m'a reconnue au passage,
Et les gens que j'ai vus ont surpris mon visage
Sans s'arrêter, sourire et me tendre les mains.

Va plus loin, va-t'en ! Qui te connaît? Passe !
Tu n'es pas d'ici, cherche ailleurs ta place.

Partout où elle va : « Tu n'es pas d'ici », se répète-t-elle. Dans les lieux trop habités ou trop civilisés, elle se refuse à reconnaître « le pays natal » de son inspiration. Ce pays, elle l'a cherché toute sa vie.

Je voudrais retrouver le pays natal de ma poésie, la contrée sauvage d'où elle m'est venue de si loin, avec ses songes, ses épouvantes, sa plainte mélancolique, ce frémissement de grande solitude qui me mêle toute aux arbres les plus tourmentés, aux landes les plus hantées de signes et de présages, et m'arrête, le soir, à la porte de je ne sais quelle chaumière secrète et basse où le feu veille, comme au seuil jamais oublié de ma plus ancienne demeure.
Ce lieu de naissance d'avant naissance n'est pas ici, à Auxerre... où il fait clair, juste et net, où les yeux ne voient que ce qu'ils voient, sans buée ni brouillard.

Une fois, une fois seulement, elle a pénétré dans le pays de sa poésie :

Une fois, presque à la fin de la journée, elle (*ma nourrice*) *m'a conduite très loin, au bord du monde, dans un champ mys-*

térieux où nous avons coupé avec la faucille de grandes fougères. Je n'ai jamais retrouvé ce champ. Il n'avait pas d'entrée. Mais un bonheur était dedans, sur le bord du soleil qui allait partir. Comment étions-nous venues là toutes les deux, sans route ni sentier?

Était-ce le bois d'Usy, dont elle parle ailleurs?

... Ce bois fut, une fois, le Bois unique. Et toutes les fois, depuis, que je suis allée au bois dans les contes que je me conte, dans les chansons que je me chante, je reprends la sente magique où, pour la première fois, entrée au secret de la solitude, parmi les champignons, les mousses, les digitales, les fougères, j'ai respiré l'odeur merveilleuse de l'enchantement sauvage.

Ce champ, ce pré, ce bois, vieille femme, elle en rêvera encore. Et c'est là qu'elle voudrait mourir :

Quand viendra le soir, au bout des années
Où, l'épaule basse et les yeux rougis,
Je ne serai plus, traînante et fanée,
Qu'une vieille en trop qui vague au logis.

« Quand j'aurai perdu ma dernière aiguille », alors, dit-elle, « j'ouvrirai la porte... »

Alors, quand le jour hésite et décline,
Comme une étrangère à jamais qui part,
A jamais... alors, comme une orpheline
Dont le cri n'a plus d'abri nulle part,

Je m'en irai seule avec mon pauvre âge
Qui n'a plus ni chant, ni charme, ni fleur,
Je m'en irai seule à la mort sauvage,
Sans faire alentour ni bruit ni malheur.

J'irai retrouver le pré seul au monde
Où je traversai, petite, un bonheur
Que nul autre pré ne sut à la ronde,
Le champ oublié de tous les faneurs;

Le champ égaré depuis mon enfance
Que les bois au fond de leur secret noir
Ont si loin serré dans un grand silence
Que nul sentier clair n'a su le revoir.

Là se tient la fleur qui n'est pas sortie
Pour d'autres que moi dans mon prime temps.
Peut-être en ce champ, derrière l'ortie,
Que l'oiseau de l'aube à mi-ciel m'attend?

J'entrerai dedans sans bouquet ni gerbe,
La fleur et l'oiseau perdus y seront.
Je m'enfermerai dans ma chambre d'herbe...
Ce que j'y viens faire, eux seuls le sauront.
. . . .
Pas à pas le temps faible qui persiste
A battre en mon cœur sans savoir pourquoi
Sortira du monde... Et les feuilles tristes
Qui meurent le soir tomberont sur moi.

Marie Noël n'écrit que pour habiter en pensée — en pensée du moins — ce pays perdu, où elle se tient isolée de tout, de tous. Mais non, ses chants guillerets ne l'ont pas mise en communication avec nous, comme beaucoup le croient, comme elle l'eût voulu! Les poètes modernes ont clamé sur tous les tons leur solitude. Marie Noël est plus discrète. Sans doute a-t-elle craint que ses lecteurs prennent goût à cette drogue; car, nourriture des forts, la solitude est poison pour les faibles. Quand elle en parle, c'est malgré elle et comme si un cri lui était arraché. Mais, plus que tout le reste, c'est ce cri involontaire qu'il faut écouter. Ces deux vers, par exemple, qui risquent d'être inaperçus dans un vaste poème des *Chants d'automne* :

Moi de songes entourée, ô moi, plus lointaine
Qu'une île farouche.

Ce n'est rien ? Mais cette comparaison d'elle-même à une île, la voici qui revient dans les *Chants d'automne*. Serré sur soi, heurté, secret, ce poème ne vise pas à nous plaire. Et je doute qu'il figure jamais dans une anthologie. Si je le cite en entier, c'est que jamais peut-être Marie Noël ne s'est aventurée aussi loin dans sa vérité la plus vraie. Jamais on n'exprima si bien que par cette « houle de paroles », par ce ressac de mots, le mystère qui nous entoure, la désolation d'un être isolé de la terre et du ciel, séparé des autres et de Dieu, et lançant de tous côtés des interrogations inlassables et vaines, des appels qui retombent

L'Ile

Solitude au vent, ô sans pays, mon Ile,
Que les barques de loin entourent d'élans
Et d'appels, sous l'essor gris des goélands,
Mon Ile, mon lieu sans port, ni quai, ni ville,

Mon Ile où s'élance en secret la montagne
La plus haute que Dieu heurte du talon
Et repousse... O Seule entre les aquilons
Qui n'a que la mer farouche pour compagne.

Temps où se plaint l'air en éternels préludes,
Mon Ile où l'Amour me héla sur le bord
D'un chemin de cieux qui descendait à mort,
Espace où les vols se brisent, Solitude,

Solitude, Aire en émoi de Cœur immense
Qui sans cesse jette au large ses oiseaux,
Sans cesse au-dessus d'infranchissables eaux,
Sans cesse les perd, sans cesse recommence.

Désolation royale, terre folle
Que berce l'abîme entre ses bras massifs,
Mon Ile, tu tiens un Silence captif
Qu'interroge en vain la houle des paroles.

Peut-être Marie Noël n'a-t-elle rien écrit de plus mâle. De

plus inquiet aussi. Mais gardons-nous d'une méprise : Marie Noël n'a jamais perdu la foi. Paradoxe, tant que vous voudrez, mais, chez un chrétien, l'espérance peut n'être plus qu'un minuscule fanal que le vent assiège et soufflette : l'espérance reste là, invincible à tous les assauts. Marie Noël n'en doute pas : son Ile est entourée d'ailes invisibles.

Et si j'eus parfois ce cœur noir
Dans un trouble où je ne peux voir, ...
Peut-être il eut une beauté,
O Père, et fut entouré d'anges,
Comme une île, de tous côtés.

Reste que je ne me suis pas trompé en avançant que Marie Noël est née et mourra avec l'inquiétude. Un grand vent qui vient de l'Infini et y retourne — celui dont il est si souvent question dans son œuvre — la chasse de partout, la traverse, l'agite.

Ce moi, le plus vrai de moi, le moi d'avant et d'après : l'inquiétude.

Quand Dieu a soufflé sur ma boue pour y faire prendre mon âme, Il a dû souffler trop fort. Je ne me suis jamais remise de ce souffle de Dieu. Je n'ai jamais cessé de trembler comme une chandelle vacillante entre deux mondes.

Une chandelle ! Qu'elle est reposante cette image, après tant d'autres, moins modestes, lues chez d'autres poètes ! Car Marie Noël craint l'enflure des mots, et que sur elle on se méprenne. Inquiète, oui, mais — arrangez cela comme vous pourrez — je suis gaie aussi, nous dit-elle. Sous le souffle de Dieu, « j'eusse péri d'Absolu »,

alors, pour arranger les choses et m'aider à exister, (Dieu) a mis en moi un drôle de petit compagnon, un esprit follet, malicieux et rieur, qui joue à travers mes pensers et bouscule tout effrontément comme un chiot dans un jeu de quilles.

Voilà un chiot qui bouscule d'avance toutes les thèses alignées au cordeau qu'on fera sur Marie Noël.

III

UNE HISTOIRE D'AMOUR ET DE MORT

SEUL, l'amour pouvait fixer cette flamme errante. Que Marie Noël ait connu l'amour humain, ses poèmes l'avouent, semble-t-il. D'autres diraient : ils le crient. Mais c'est ici surtout qu'il nous faut imposer silence à toute curiosité biographique. Très opposée aux confessions indiscrètes, Marie Noël garde pour elle tout ce qui, de sa vie, ne mérite nullement d'intéresser autrui. C'est ainsi que, s'oubliant lui-même dans sa chanson, un bon chansonnier ne nous livre de soi que ce qui peut unir toute une salle dans une même joie, dans une même peine.

On insiste, bien entendu. On demande : mais enfin, cet amour chanté, fut-il vécu, fut-il rêvé? Convenons que certains traits, répétés avec insistance, feraient croire à une aventure vécue et dans des conditions assez précises : il est toujours question d'une jeune fille qui aime et n'est pas aimée. L'aimé l'a-t-il seulement remarquée ? Bientôt, il s'éloigne : une autre, plus séduisante, a pris son cœur. La délaissée cessera-t-elle d'aimer ? Non pas, mais, purifiant en elle tout ce que l'amour a d'intéressé, elle aimera son bien-aimé au point d'aimer son bonheur avec l'autre, au point d'aimer celle qu'une âme moins haute appellerait sa rivale. Cependant, les années s'écoulent : l'amour veille au dernier comme au premier jour. Et maintenant, pas à pas, au pas lent des jours, la mort approche. Dieu offre son paradis. Et voici le plus étonnant : dans un cri répété tout au long des *Chants d'arrière-saison*, cette chrétienne répond à Dieu : « Mon paradis, c'est lui. »

Tout cela compose, des premiers poèmes aux derniers et d'un conte à l'autre, une histoire cohérente. Une histoire vécue ? Une histoire vraie ? Marie Noël le nie. Cette continuité, assure-t-elle, ne correspond à rien dans sa propre vie. Et le lien qui paraît unir tous ces poèmes d'amour, c'est nous, lecteurs, nous seuls qui le mettons.

Si, au début de cette étude, je citais Paul Valéry, ce n'était pas sans dessein. L'heure est venue de rappeler que c'est précisément « la puissance de transformation qui nous touche » dans un poème, et nullement la « matière première » (la vie de l'auteur), laquelle est le plus souvent très commune et assurément tout autre. C'est ainsi qu'il peut arriver au poète — et il semble que ce soit ici le cas — d'emprunter le langage de l'amour pour exprimer des émotions qui n'ont rien à faire avec l'amour humain : transposées sur le clavier merveilleux, ces émotions deviennent merveilleusement méconnaissables.

Où est la vérité ? Où la fiction ? Essayons de le préciser un peu mieux. Le flot d'amour qui traverse l'œuvre de Marie Noël ne saurait être inventé. C'est sa vie d'abord qu'il traverse, soulève et remplit : amour des siens, amour des malheureux, amour de son pays, amour de son Dieu. Aimer, c'est vrai, Marie Noël n'a fait que cela. L'affabulation, ce pourrait être l'attribution à un « ami », et surtout à un ami unique, d'un amour qui, se portant en réalité sur tout, ne se limitait à personne.

L'inspiration fait donc feu de tout bois. Elle se nourrit d'éléments empruntés à la vie vécue, mais elle les transmue au point d'étonner parfois l'auteur lui-même quand il se relit à froid. « Comment ai-je pu écrire cela? » s'écriait un Claudel ébahi devant *Tête d'Or*. Reste que l'auteur a bel et bien publié son œuvre : détachée de sa personne elle nous appartient désormais. Qu'il s'y résigne : c'est avec nos yeux, non avec les siens, que nous la lisons.

Si le temps a déjà rapproché, et en quelque sorte coagulé, des poèmes conçus à part et en des circonstances très diverses, rien ne nous interdit de les lire comme une « suite » et d'en dégager une signification qui n'apparaissait pas d'abord. C'est *Le Soulier de Satin* qui a permis de comprendre *Tête d'Or*. Et *Les Chants d'arrière-saison* ne sont pas sans éclairer, nous le verrons, les tout premiers poèmes — *Attente*, par exemple — de Marie Noël.

Redisons-le : les pages qui suivent ne prétendent en aucune façon raconter un amour, et surtout un amour unique, de Marie Rouget. L' « ami » qui reparaît si souvent dans les poèmes ne sera pour nous qu'une création, qu'une créature du poète Marie Noël, un peu comme ces personnages fictifs que le romancier interpose entre lui et ses lecteurs et où il est souvent indiscret, et toujours téméraire, de vouloir préciser ce que le créateur a pu mettre de lui-même.

Non, l'histoire que je vais conter n'est pas *de* l'histoire. C'est bien mieux : une « belle histoire » d'amour et de mort, qui n'est pas sans rappeler ces complaintes interminables que nos pères ne se lassaient pas d'écouter aux carrefours et où chacun prenait un étrange plaisir à reconnaître la vérité de sa pauvre vie.

Attente et échec de l'amour • C'est d'abord l'attente de l'amour. La sève du printemps chez une jeune fille moins accordée à la société et à ses conventions qu'à la nature. Et la ritournelle de toujours, gracieuse et mutine : un pas en avant, un pas en arrière, offre et refus de soi pour se mieux faire désirer.

Mon père me veut marier,
Sauvons-nous, sauvons-nous par les bois et la plaine,
Mon père me veut marier,
Petit oiseau, tout vif te lairas-tu lier?

L'affaire est sûre : il a du bien.
Sauvons-nous, sauvons-nous, bouchons-nous les oreilles.
L'affaire est sûre : il a du bien.
C'est un mari... courons, le meilleur ne vaut rien.

Quand il vaudrait son pesant d'or,
Qu'il est lourd, qu'il est lourd et que je suis légère!
Quand il vaudrait son pesant d'or,
Il aura beau courir, il ne m'a pas encor!

Dans *Attente*, l'appel du sang lutte avec l'appréhension : quand l'Amour s'abattra sur moi, dit-elle,

Je fuirai d'un saut plus prompt
Que le bond d'un lièvre...

Je fuirai, de mes cheveux
Cachant mes oreilles...

J'irai sans me reposer
N'importe où, n'importe...

Quand il croira me tenir...

S'il allait ne pas venir !

Mais l'instinct est là, qui la force à préparer le nid :

J'apprête le repas pour qu'un jour il y goûte,
Je choisis à son goût ma robe d'aujourd'hui,
Si j'apprends des chansons, c'est pour qu'il les écoute,
Je retiens en passant le beau de chaque route
Pour y repasser avec lui.

Et voici le bien-aimé ! « Quand il est entré dans mon logis clos... », bonheur éperdu d'un oiseau qui se cogne à tout. Mais presque aussitôt, c'est le drame :

Quand je le vis, je n'osai pas à temps
M'en approcher ou lui faire une avance.

Timidité? Doute de soi? Dans *La Rose rouge*, une certaine Ménie nous confie sur elle-même : « J'étais si sauvage alors que je n'osais pas sortir de moi pour aller au-devant des autres. » « Je savais que je n'avais aucune chance. » Elle précise toutefois : « Au vrai, je ne devais pas être plus laide qu'une autre, mais j'avais un silence dans les yeux et sur la bouche qui me fermait le visage. »

Toujours est-il que, sur ce visage, l'autre ne sut pas lire l'amour. « Il n'a pas vu mes yeux pleins d'offrande, écrira-t-elle. Il n'a pas même regardé de mon côté. »

Mon bien-aimé passa, voilé de rêverie,
L'âme ailleurs,
Sans rien me dire, hélas ! sans me voir et j'en meurs.

Oui, elle a aimé, elle aime encore, elle aimera toujours, mais jamais celui qui l'a conquise n'aura d'elle aucun souci :

Mais mon ami me percera d'une flèche
Terrible de joie
Et ne viendra pas même dans l'herbe fraîche
Ramasser sa proie.

En vain, loin de fuir maintenant, se tourne-t-elle vers lui :

Mais je n'ai rien vu qu'un homme rapide
Qui s'éloignait en pressant le pas,
Un homme, un absent, où mon nom est vide
Et dont la voix ne me connaît pas.

« Qu'ai-je fait ? » gémit-elle. Elle maudit son inexpérience, regrette son excessive discrétion :

Nul ne m'aura d'amour aimée.
Jamais la rose que j'avais
Silencieuse en moi fermée
Ne tenta les yeux que j'aimais.

Je n'ai rien pris ni rien reçu,
Je n'ai rien eu. Je n'ai pas su
Quand on aime ce qu'on demande.
De moi toute j'ai fait l'offrande
Et coulé de l'ombre où je suis
En mon ami sans qu'il m'entende
Comme une source dans la nuit.

Une source, dans la nuit, ne s'entend guère. Et l'ami est peut-être excusable. Mais peut-être aussi se pencha-t-il un instant sur cette eau noire, sur cette source qui devait devenir bientôt un « puits » de souffrance, un abîme d'inquiétude, et se retira-t-il effrayé. Peut-être ne fut-il pas « assez brave » pour épouser un destin exceptionnel. Peut-être le destin de la « fille noire » était-il de rester isolée comme une île,

... seule comme une Reine,
Seule entre les flots comme une île de Peine.

C'est du moins ce que Marie Noël entreverra plus tard, bien

plus tard, lorsqu'elle essaiera de lire dans les astres le secret de de ce que devait être sa « destinée ».

... Fille noire!
Qui l'aimera?... Qui voudra, pour aller boire
A sa source un ciel sauvage et frémissant,
Descendre en la profondeur de son cœur grave?
Quel sera celui, pour l'aimer, assez brave,
Riche assez de sort pour la guérir du sien?
Quel sera celui qui n'aura peur de rien,
Fol assez pour la chérir?...

« Si quelqu'un l'ose », édicte l'horoscope,

à peine il se tournera,
Vers elle que d'elle il se dêtournera.

Mais — faut-il le redire? — à vingt et un ans, Marie Noël ne lit rien de clair dans les astres. Elle s'accusera, parlera de sa « grande faute » : « L'époux venait à moi... Quand il est arrivé, j'avais fermé ma porte... Et quand je l'ai rouverte, il était tard... » Et tantôt elle bénira Dieu d'une solitude dont elle est bien un peu responsable :

Béni sois-tu, Seigneur, pour le pauvre visage
Qui me fit peu d'honneur
Et n'osa point de ses yeux humbles au passage
Arrêter le bonheur...

Mais ne craignons pas de le dire : jamais elle ne se résignera. Dans l'amour de Dieu, l'amour de l'homme ne sera jamais perdu, consumé, oublié, — attisé au contraire et immensément agrandi. Il envahira, semble-t-il, tout l'espace creusé par Dieu dans un être d'une générosité sans limite.

Toutefois, ce qui l'emporte d'abord, c'est le sentiment d'une catastrophe irrémédiable, d'une existence désormais stérile. Le chemin de la vie est décoloré. Dans ce désert, rien n'apparaît plus sur l'horizon, que la mort; après ce printemps manqué, que l'hiver. Et parfois, il est vrai, la plainte se fait mélodieuse, comme dans le *Chant de rouge-gorge*. L'amour, dit-elle, comme je l'attendais!

Je l'attendais, ouvrant mon cœur immense...
Il n'est tombé qu'une goutte dedans.

Rouge-gorge, au fond du bois incolore,
Au bout des sentiers dont il te souvient,
Du soleil, sais-tu s'il en reste encore?
L'hiver vient.

Parfois le chant devient plus large, plus grave, plus âpre.

Qui m'aidera maintenant à porter mon cœur?

Où rejoindre en courant les autres amoureuses
Qui toutes m'ont laissée au milieu du chemin
Si long, si long encore, où je me lasse en vain?
Au loin fument, au loin les demeures heureuses.

Au loin bruit la joie aux mille voix, le chœur
Des seuils clos, des murs pleins d'intérieure fête.
Des rires, des appels m'ont heurtée à la tête
Et les cris des enfants sont tombés sur mon cœur.

La bête a dans son trou des petits à défendre.
Et moi seule je suis telle que le désert
Vide, brûlant, sans route, à tous les vents ouvert,
Qui n'a jamais produit que nuage, que cendre.

A quoi bon son don de poète ? Son chant se perd : « Il me reste ce chant de trop que nul n'écoute. » En vain essaie-t-elle de s'étourdir avec des rimes guillerettes :

Mes vers, dansons la ronde,
Mes vers jeunes et fous,
Je n'ai plus rien au monde
Que le plaisir de vous.

Ma peine solitaire
Crie à remplir le soir.
Chantons, faisons-la taire,
Dansons dans mon cœur noir.

Dans mon cœur, hors du monde,
Voici le mois de mai!
— Dansons une seconde
Comme si c'était vrai!

On lui dit : le poète « doit savoir tout chanter », et c'est de joie surtout que le pauvre monde a besoin. Mais comment feindre un bonheur qu'elle n'a pas ? « Je n'en inventerai, dit-elle, qu'une contrefaçon. » Elle crie donc à Dieu :

Donne-moi du bonheur, s'il faut que je le chante,
De quoi juste entrevoir ce que chacun en sait,
Juste de quoi rendre ma voix assez touchante,
Rien qu'un peu, presque rien, pour savoir ce que c'est.

Cependant, les mois passent et les années. Quel gâchis! Qu'elle ait été, autant et plus qu'une autre, capable d'aimer et d'être aimée, elle le sait. « Nul n'aura profité de mon âme », gémit-elle. « J'avais quelque douceur. Je crois que j'en avais. » « Tout est perdu de moi qui n'étais rien qu'aimante. »

Tout est perdu, ce que je suis et ce que j'ai,
Comme de l'eau qui n'a personne pour la boire,
Comme un morceau de pain que nul n'aura mangé.

Cri des entrailles, cri de la femme qui n'aura pas d'enfants :

Je n'ai pas de petits à qui donner le lait
De ma jeunesse mûre, attiédie et fondante.

Cri du sang, et même cri des sens qui réclament. Elle se demande : n'est-ce pas contre nature, n'est-ce pas péché

D'avoir sans fleur ni fruit serré dans mes mains closes
Pendant tout mon été lourd et lent à mourir
Mon cœur comme un bouton de frémissante rose
Qu'il faut jusqu'à l'hiver empêcher de fleurir.

Certes, dans sa vie, pas de frasques, nulle aventure. Un « agneau », quoi! Mais « s'il est sain et sauf, c'est bien faute de loup », précise-t-elle avec une ronde franchise. Qui sait lire trouve tout chez Marie Noël et même (Colette ne s'y est pas trompée) le franc aveu de la sensualité, de sa montée trouble, de son assaut inattendu. Qu'est devenu l'innocent jardinet de sa famille? Maintenant, « la Bête y rôde ». Pleins feux sur le corps qui, comme les fleurs trop chaudes, s'alanguit, se pâme. « Ma chair brûle » : le mot est dit :

Je tourne dans le cercle enflammé des iris.
Hélas! dans le soleil ma chair brûle et les lis
De leur bouquet pesant d'essences déréglées
Me provoquent sans fin tout le long des allées.

Et ce jardin d'embûche où je vais sans secours
Est plein de vigne folle et de cerisiers lourds,
De seringas ardents d'où s'échappent des fièvres
Et de framboises aussi douces que des lèvres.

Je voudrais me rouler sur la terre au sein chaud,
Les yeux brouillés d'azur éclatant, vaste, haut;
Je voudrais... Qui m'allume ainsi qu'une fournaise?
Des femmes au cou nu s'en vont cueillir la fraise...

Et je sens comme un fruit où chemine le ver,
Un serpent doux et chaud qui me suce la chair,
Et chaque battement de mon cœur me torture...

« Dois-je me débattre encore, bien qu'à bout de courage? » « Alarme! » crie-t-elle :

C'est le vieux guet-apens du démon de Midi.
Fuis sans rouvrir les yeux, fuis, piétine la vie
Qui voudrait être et ne doit pas être assouvie.

Ne doit pas? Problème! Un écho de la tentation se retrouve dans les *Notes intimes*. « Payse » de Colette (comme elle l'a rappelé avec fierté) Marie Noël ne se résignera jamais à « piétiner la vie ». Et voici que le trouble de la chair envahit l'esprit : comment Dieu peut-il s'opposer à l'instinct, Lui qui en est le créateur? Elle écrit pour elle seule : « La chasteté du jeune homme : le combat de Dieu contre Dieu. » Et encore : « Selon l'ordre du Créateur, le seul devoir de l'être vivant est de vivre et de propager la vie. S'il arrête la vie en soi (inanition, chasteté), il pèche contre le Créateur... Et son châtiment est d'abord dans la rébellion de son instinct... Dieu opposé à Dieu. » Elle conclut : « Prie plutôt pour qu'en toi Ils se concilient. » Les deux bouts de la chaîne, elle les tient ferme, comme tous les êtres exigeants. Humble, elle demande et, patiente, elle attend la lumière. Mais l'inquiétude, nous le verrons, reparaîtra : qui donc est Dieu?

J'avais toutes les vocations à la fois, remarque-t-elle : tendresse humaine, poésie, prière... Il eût fallu choisir un seul but, une seule voie : Dieu; et rejeter tout le reste. Je n'ai pas su, je n'ai pas voulu. J'ai suivi toutes mes routes, je ne me suis fixée nulle part.

Au lieu de sainte, j'ai fait un vagabondage entre terre et ciel.

Je crois qu'elle a tout réussi. Mais un jour vint, un jour sombre, où ces mots, comme un tocsin, tintèrent dans sa tête : terre et ciel, tu as tout manqué. La terre, c'était son amour. N'en parlons plus. « Que n'ai-je offert à Vous ce pauvre amour! ... Cela m'eût fait beaucoup de sainteté », dit-elle à Dieu. Le ciel ? Je me sens trop « humaine », j'ai trop goûté à l'amour humain pour n'en pas nourrir le regret dans un paradis où je ne le retrouverais pas.

Je supplie le lecteur chrétien de ne pas voir des blasphèmes

La maison d'enfance (1891-1895).
Au premier étage, la fenêtre de la chambre de Marie Rouget

Page suivante :
Son père, Louis Rouget, vers 1898. Agrégé de philosophie et grand travailleur manuel.

concertés dans les strophes que je vais citer. Les théologiens se récrieront ? Je les ai toujours soupçonnés d'ignorer les grands troubles : de là, sans doute, leur air consterné quand ils les observent chez autrui. Voici donc Marie Noël invitée à entrer au paradis. Entendons-la, elle la timide, parler à Dieu. (Et admirons la boiterie haletante de ces vers de onze pieds.)

Le bonheur que vous me voulez, qu'en ferai-je ?
M'asseoir à côté de tous vos saints assis
Dans vos jardins plus lumineux que la neige ?
C'est bien de l'honneur mais, ô Père, merci!

Le bonheur, c'eût été une main qui « vous prend, vous mène ». C'eût été

Tomber d'un vol qui se brise dans le cœur
A peine entrouvert de celui-là qui passe
Et ne plus sortir jamais de sa douceur.

Ah! vous aurez beau ce soir me tenir prête
Une auréole, ô vous qui n'avez permis
Jamais qu'en tremblant j'aille cacher ma tête
Pour y dormir dans l'ombre de mon ami.

Vous aurez beau maintenant me faire entendre
A l'oreille les sept voix du Saint-Esprit,
Quel Verbe, si Dieu soit-il, pourra me rendre
Le mot d'amour que personne ne m'a dit ?

Si la hantise de la mort occupe une place si remarquable dans l'œuvre de Marie Noël, c'est que, sans transition aucune, à

« l'attente » de l'amour, celle de la mort a succédé. Terreur à la pensée d'avoir à porter, jusqu'à la fin de la vie, cet amour harassant dont ni le ciel ni la terre ne sauront la guérir.

Quand donc viendra la mort dont les pas font frémir
Pour qu'enfin de l'aimer enfin je me repose.
Il sera doux le jour où de la chambre close
On joindra les volets pour me laisser dormir.

Mourir est son vœu. Mais, ce vœu, qui l'écoute ? « Qui de la feuille a souci ? dira-t-elle plus tard, bien plus tard, dans *Chant de feuille morte* — un chant tout saturé de la senteur d'automne, en même temps que l'extrême rigueur de sa facture annonce la sécheresse de l'hiver.

Si j'eus un charme, il m'est ôté.
Une autre fut belle à côté,
Fut reine... et moi si pauvre, si!...

Mais qui de la feuille a souci ?

Hors l'aimer, je ne valais rien.
Il m'a quittée, il a fait bien :
On punit les pauvres ainsi.

Mais qui de la feuille a souci ?

Pourquoi — si dur! — ah! pourquoi tant
L'aimé-je, comme si le temps
N'avait changé, n'avait noirci ?

Mais qui de la feuille a souci ?

J'ai beau très tard errer, très loin,
Je ne sais pas où l'aimer moins
D'un cœur brisé, d'un cœur transi.

Mais qui de la feuille a souci ?

Dis-moi, le vent, dis-moi, la mer,
Dis-moi la grand'neige d'hiver,
La Mort est-elle par ici ?

Mais qui de la feuille a souci ?

Déjà, elle nous a quittés. Dans *L'Adieu sauvage*, celle qui a « donné son cœur au cœur qui ne regardait pas... » s'exile des hommes et de Dieu même, ne se reconnaît de gîte — de « place » — nulle part. « Laissez-moi partir. Je m'en vais de vous. » Vide d'espoir, vidée de tout, que lui reste-t-il qu'elle puisse nous léguer ? *Testament* répond : « Mon cœur méprisé » :

Je donne à vous ma faute sans visage,
Ma honte pâle et mon cœur méprisé,
Mon faible cœur, si faible qu'au passage
Un seul sourire à jamais l'a brisé.

Mais voici qu'à l'extrême bord du monde elle se retourne. Qui a-t-elle donc oublié ? Aux autres, dans son *Testament*, elle a donné le peu qu'elle a. Mais rien à son ami. Elle écrit donc *Retour*, où le désespoir fait reparaître (comment en douter en lisant ces vers ?) l'affreux espoir du néant.

J'ai descendu ce soir en courant la vallée
Qui mène dans la mort. Par la douleur du temps
Je me suis en criant de ma vie en allée,
Mais je veux revenir sur le bord un instant.

Car j'ai regret... Car dans ma hâte d'être morte,
D'abandonner mon cœur sous la pierre endormi,
En partant j'ai laissé sur le pas de la porte
A tous un don de moi, mais rien à mon ami.

A lui qui ne fut pas mon ami, mais ma peine
Trop grande, le sourire où j'ai mon cœur perdu,
A lui qui m'a donné de quoi mourir, moi, vaine,
Je m'en vais en poussière et je n'ai rien rendu.

Avant donc de s'effacer tout à fait dans la nuit, elle laissera errer sur le chemin où il passe un vague air de chanson, un air sans nom et sans visage : peut-être l'entendra-t-il ? Ma chanson, « je la jetterai, dit-elle, au hasard de la route », « dans un champ solitaire », que « peut-être il traversera ». Et « peut-être que celui que j'appelle enfin s'arrêtera ».

La gloire était venue, non cherchée et bien inattendue. Mais la gloire caricature péniblement le bonheur. Qu'est-ce que la gloire ? Elle répond : « La voix de l'amour — si douce! — sans l'amour. » Entre elle et ses lecteurs, il faut parler d'un malentendu. A ceux qui pour elle ne comptent pas, elle n'a livré que ce qui pour elle ne compte guère : pas son secret, pas le chant de sa sensibilité profonde: « Le chant de la sensibilité profonde ne s'échange pas, sauf en amour » a-t-elle écrit dans ses *Notes intimes*. Toute son œuvre est tendue vers un échange, vers un dialogue, vers un duo d'amour, et pourrait se définir comme la recherche — difficile! — d'un interlocuteur vrai, de quelqu'un, homme ou Dieu, à qui elle pourrait s'ouvrir toute, sans prudence ni réserve, parce qu'elle se saurait aimée et donc écoutée.

Le pathétique de tant de vers lancés au hasard entre terre et ciel — fusées tremblantes, fusées chercheuses — s'explique par une inquiétude : ne vont-ils pas se perdre sans atteindre personne ?

Un jour vint, je le dirai bientôt, où Marie Noël crut être mal aimée de Dieu lui-même. Et c'est alors surtout qu'elle subit l'attrait dont j'ai déjà parlé, celui du néant. Au ciel comme sur terre, « Tu n'es pas d'ici, se dit-elle, cherche ailleurs ta place! » Ailleurs ? Où ?

Ce cœur que vous m'avez fait, blessé d'avance,
Puisque nul n'en a besoin pour le sien,
Puisque, si je tombe en quelque puits immense,
A personne autour il ne manquera rien,

Puisque personne hors vous n'a vu mon âme,
Mieux vaudrait peut-être — ô Dieu, ne craignez pas,
Si vous la tuez, que quelqu'un la réclame —
Peut-être en finir avec elle tout bas,

En finir pour la guérir d'être immortelle
— Immortels seront les autres. Me guérir
Par pitié, d'être sans fin à cause d'elle
Ce mal qui ne peut ni vivre ni mourir.

Je passerai... je n'aurai plus jamais de moi,
Plus jamais ni vent ni nouvelle...

Remarquons-le : cette pensée affreuse prend la forme d'une prière. Marie Noël ne cesse donc pas de tenir, dans la nuit, la main de Dieu. Le grand souffle qui m'a « tirée du néant » ne pourrait-il m'y replonger ? Mon cœur desséché ne pèsera pas lourd dans le vent.

... J'entends le vent qui passe.
Le temps passera... le temps est passé.
Bientôt fétu qui sèche et que nul ne ramasse
Mon cœur roulera par le vent poussé,

Sans voix, sans cœur, avec les feuilles dans l'espace.

Certaines strophes, pourtant, sont d'une ironie sèche, proches du sarcasme :

Et la Terre m'a dit : « Va, ma petite fière,
Pour besogner encore, il nous reste du temps.
Apporte-moi ton cœur... Je t'attends! Je t'attends!
Et nous travaillerons ensemble à ma poussière.

Un dernier air sur le chemin de l'ami (mais l'entendra-t-il ? A quoi bon ce « chant dont nul n'a plus besoin » ?), et lentement, à regret, avec le sentiment que c'est elle, aujourd'hui, « l'infidèle », elle se laissera engloutir par le néant.

Pour rejoindre la mort que j'ai fait trop attendre,
Je me retirerai lente à travers le temps,
Lente, de mon ami qui ne va plus m'entendre,
Lente, faible, le cœur de moins en moins battant,

Mon cœur de plus en plus morne, mort..., infidèle!
Qui ne l'aimera plus jamais après ce soir
Où je m'enfoncerai dans la tombe éternelle,
Sans lui, sans moi, sans vent ni nouvelle, au lieu noir.

Que Marie Noël ait subi la fascination du néant, comment en douter ? Seulement, prenons garde : tentation n'est pas consentement. Trop nombreux sont les critiques colleurs d'étiquettes, qui déchiffrent un poème comme on lit une thèse, qui y cherchent une profession de foi... et la trouvent. On n'est pas nihiliste pour éprouver, un jour ou l'autre, l'attrait du néant, pas plus qu'on n'est chrétien parce qu'on a écrit, un lendemain de noce, *L'Espoir en Dieu*. Sottise d'attribuer aux poètes, à Nietzsche ou à Baudelaire par exemple, les différents personnages qui, successivement ou à la fois, les habitent : ils sont, comme nous tous, une personne déchirée et en quête — laborieuse — d'unité. Qu'une bonne chrétienne témoigne sans hypocrisie des tempêtes intérieures communes à tous, voilà qui devrait désarçonner l' « hypocrite lecteur » et établir entre elle et nous, entre nous tous, la fraternité la plus intime.

Victoire de l'amour • Mes lecteurs me suivent-ils encore? Devant un tel amour, ne crient-ils pas à l'invraisemblance? Dédaigneusement, déjà, plus d'un peut-être a laissé tomber un mot qui ne pardonne pas, le mot couperet : « littérature » ! Et j'en conviens : rien de plus détestable — même littérairement — qu'une poésie insincère.

Mais regardons-y de plus près. Exagération de femme de lettres? Fièvre verbale? Je préférerais qu'on parlât de folie. Il y a de cela en effet. Voici une petite provinciale chez qui le sentiment n'est ni éventé, ni gaspillé. D'un œil aiguisé par la réclusion, mère et commères épient chez elle l'éclosion de l'amour, — lequel se cache, couve en secret comme un feu intérieur, se nourrit de soi et, pour finir, s'exaspère en revendication révoltée. Grâce à Raymond Escholier, nous pouvons lire maintenant ces vers, longtemps tenus cachés, de la toute jeune fille :

J'ai fermé mes bras sur mon cœur,
Pour que n'en sorte la langueur
Aux yeux des femmes...

Sur ma bouche, j'ai mis mon poing,
Pour que mon cri n'en sorte point,
Dans ma révolte...

Mon père, dors; ma mère, dors,
Vous avez mis l'amour dehors,
Je suis soumise...

Elle-même a parlé de ses « pensées folles », de sa « folie ». Par certains traits, elle rappelle Emily Brontë et plus d'un personnage de Julien Green, Adrienne Mesurat par exemple. Et quoi de plus sincère que la folie?

Dès lors, pourquoi me fatiguerais-je à chercher des influences littéraires? Certains critiques ne manqueront pas de se jeter sur un mot de Marie Noël : « J'ai adoré, dans *Le Cid*, mon premier livre d'amour. » Ils remarqueront aussi qu'elle a collectionné beaucoup de vieilles chansons, où reste curieusement vivace la tradition de l'amour courtois : amour unique, amour fidèle jusqu'à la mort et au-delà de la mort... Mais Marie Noël n'est pas madame Bovary : elle ne s'est jamais prise pour une autre, pour Chimène ou pour l'épouse du roi Renaud. Sa poésie n'a jamais bu d'autre vin que le sien. Cherchons en elle.

Drame en trois actes. L'acte premier se passe dans les lointains, dans la brume — dans le « petit jour » — de l'enfance. Et déjà nous trouvons l'amour : l'amour d'avant l'amour, un appétit d'amour que rien ni personne ne rassasiera. A la maison, une petite fille bien entourée. Il y a là papa, maman, grand-mère.

Tous étaient là, raconte-t-elle. Tous. Et pourtant quelqu'un manquait. Quelqu'un d'inconnu dont, par moment, j'avais plus besoin que de tous les autres... Quelqu'un qui, à ce moment-là, m'eût prise dans ses bras et tenue cachée pour toujours dans le chaud de sa poitrine; quelqu'un qui n'était jamais là, qui sans doute, il se pourrait, n'était pas de la famille... Il se pourrait que je l'eusse cherché toute ma vie.

Voilà une petite personne qui promet d'être exigeante. Un « abîme » ! dira-t-elle bientôt pour qualifier son besoin d'amour. Qui remplira cet abîme ? Plus tard, elle parlera du « péril, pour moi le plus grand de tous, de la première douceur venue — vraie, peut-être fausse —, une goutte qui remplit l'abîme, fatale comme aux misérables qu'on ramasse, ayant trop faim, la bouchée de nourriture qui les tue ».

Acte II. Ici, la confidence nous arrive voilée — mais si peu ! — dans un conte : *La Rose rouge*. Une lycéenne, Ménie, se prend d'une affection de fillette pour une de ses camarades. Quelle flambée ! L'absolu ! Tout ou rien ! Pas de partage ! Mais l'autre n'est pas de même trempe, qui partage avec une troisième. Dès lors, tout est fini. Repli sur soi, sur l'abîme, que remplit soudain jusqu'au bord la jalousie. Expérience de jeune fille, aussi amère, aussi vaste et définitive peut-être que celle de Baudelaire :

Tous les êtres aimés
Sont des vases de fiel qu'on boit les yeux fermés.

En vain le professeur essaie-t-il de raisonner Ménie l'inconsolable : « Rien n'est absolu. Soyez sage. Pas de partage en amitié ? Tout est partage dans la vie. Qui ne partage rien perd tout. » Mot qui explique peut-être l'échec de l'amour chez Marie Noël.

Échec ? C'est trop tôt dit. Car voici l'acte III, le coup de théâtre, la victoire. Il fallait cette détresse pour que Ménie apprît ce qu'est aimer. Aimer, c'est vouloir le bonheur de l'aimé. Oui, même si ce bonheur exige que l'aimé s'attache à un autre. Aimer, dans ce cas, c'est aimer *leur* amour. Et voici la formule définitive qui éclairera désormais — d'une lumière vacillante parfois et souvent douloureuse — les chemins de Marie Noël : « Aimer, c'est tout donner, tout ! Et perdre ce qu'on a donné. »

Pour Ménie-Marie Noël, cette « première leçon d'amour » reste liée à un jour de Pentecôte, à une grâce de l'Esprit : feu, lumière et joie tout ensemble. Impossible, le lecteur l'a déjà compris, d'aller plus avant dans ce récit sans nous souvenir que l'amour humain fut, non pas renié, certes non ! mais exhaussé, purifié, enflammé par un Amour plus vaste et, nous le verrons, combien plus exigeant ! Car voici encore un mot clef : « C'est dans l'*Imitation* que j'ai appris à aimer. Je l'ai appris de Dieu même, cet amour dépouillé qui n'attend même pas de l'Aimé ce que le livre appelle des « consolations ». C'est à l'éclair de la Pentecôte (1900 : elle avait donc dix-sept ans) que je me suis convertie, que j'ai fait mon premier sacrifice de cœur et changé de chemin pour traverser la terre. C'est ce jour-là que quelqu'un m'a soufflé : « Le remède d'aimer, c'est d'aimer davantage. »

Mais quelle erreur ce serait d'imaginer un cœur fixé d'un coup dans la paix ! Si la vie du chrétien est, de toutes, la plus intense, c'est qu'elle ne se résigne à aucun « renoncement » d'amour. Elle exige tout, sachant qu'il n'est pour elle d'autre commandement que d'aimer, mais sachant bien aussi qu'elle restera déchirée jusqu'à la mort entre deux amours, dont la conciliation n'est ici-bas jamais accomplie et qui se renflamment l'un l'autre en attendant leur fusion parfaite. La jalousie refluera donc par assauts. Supplice de se voir frustrée par une autre ! Inquiétude aussi : cette voleuse donnera-t-elle au bien-aimé le bonheur qu'il méritait et dont elle seule eût su le combler ? Et tel un instrument d'une sensibilité folle, la poésie va enregistrer des oscillations intérieures qui vont de l'amour égoïste à l'amour dépouillé, seul immuable, seul vrai. Écoutons le *Chant de rossignol*, chant au murmure de fontaine, qui coule, coule — d'abord bonheur intarissable, puis plainte sans fin :

Mon ami, loin, il est tout où je suis
Dans la senteur au vent du chèvrefeuille.
Pour échapper à lui de feuille en feuille,
Si je fuyais, il est tout où je suis.

Coule, coule, coule, eau d'étoile, coule...

Il est à moi de la fleur de la nuit
Au pleur de l'aube, aussi loin à la ronde
Que l'heure est l'heure et que le monde est monde.
Plus ne m'est rien, rien ne m'est plus que lui.

Coule, coule, coule, eau d'étoile, coule...

Et soudain, dans la forêt inchangée, la catastrophe :

Lui, mon ami, lui qu'au monde j'avais,
Lui, tout à l'heure !... Aussi loin à la ronde
Que l'heure est l'heure et que le monde est monde.
Celle qui l'a, c'est une autre à jamais.

Coule, coule, coule, eau cruelle, coule...

Une autre l'a de la fleur de la nuit
Au pleur de l'aube... Et moi, sous la ramée,
Seule je suis, seule, sa désaimée,
Partout perdue où partout il me fuit.

Coule, coule, coule, eau cruelle, coule...

Parce qu'il résume toute cette histoire, il me fallait citer d'abord ce poème d'une mélancolie si grave et de teintes si fondues qu'il fait penser à l'automne (il appartient en effet aux *Chants d'arrière-saison*). Mais quel fut le tout premier mouvement de la désaimée ? s'effacer. C'est la grâce de la Pentecôte qui reparaît dans le poème fameux : *Nous étions deux sœurs chez nous.* Images et rythme, tout ici est printanier. La souffrance n'a pas encore pénétré jusqu'au fond. Et le sacrifice — quelle illusion ! — paraît alors assez facile.

Nous étions deux sœurs chez nous :
La laide et la belle.
L'une avait les yeux si doux
Que tous après elle
Couraient sans savoir pourquoi.
Sa sœur, l'autre... c'était moi.

Qu'est-ce que nous ferons,
Ma douce, ma jolie?
Qu'est-ce que nous ferons?
Va, nous nous aimerons.

Lui, c'était lui mon été,
Ma terre fleurie,
Lui, mon soleil, la bonté
Unique en ma vie!
C'était lui mon Paradis!
Le seul!... Elle me l'a pris.

Sans son cœur, avec mon cœur,
Maintenant, que faire?
Haïr? Attendre, ô ma sœur,
Que le vent contraire
Jette ton bonheur à bas?
Te haïr... Je ne peux pas.

Chère grâce, dis, pourquoi
Es-tu si jolie?
Ah! qu'il ait assez de moi,
Qu'il t'aime et m'oublie,
Ce n'est que juste!... Et pourtant,
Faut-il que je souffre tant?

Qu'est-ce que nous ferons,
Ma douce, ma jolie?
Qu'est-ce que nous ferons?
Va, nous nous aimerons.

Mais, à la fin, longtemps retenu, voici le sanglot :

Quand vous serez trop joyeux,
Que je détourne les yeux.

Va, peut-être aime-t-on mieux
Avec des pleurs dans les yeux (1).

La joie naïve des autres paraît toujours provocante. Ne pas haïr ce bonheur, c'est déjà beaucoup. Mais l'aimer? Ce sera la suprême victoire. Voici des vers que Marie Noël ne s'est jamais décidée à publier dans un recueil :

Gloire à Dieu! Maintenant j'ai l'âme toute neuve.
O mon maître, mets-la, si tu veux, à l'épreuve.

Montre-moi mon ami d'hier, mon seul ami
Qui n'attend pas que mon cœur se soit rendormi.

Et qui passe, en plein jour, lui, mon amour lui-même,
Au milieu de la route avec celle qu'il aime;

Celle qui, dans cette âme où je ne suis plus rien,
Mit sitôt son bonheur à la place du mien.

Va, quand ils passeront, elle à lui, lui plein d'elle,
Va, puisqu'il est heureux, je la trouverai belle.

(1) Nous prenons ici notre poète en flagrant délit de transposition. La préférée n'est pas sa sœur (elle n'eut pas de sœur), et l'ami est son vieux parrain Raphaël Périé qu'il n'était pas question d'aimer d'amour.

Quand elle chantera l'amour que je pleurai,
Regarde dans mes yeux, Seigneur, je sourirai.

Quand elle n'aura plus, elle, déjà servie,
La pauvre illusion qui tremblait dans ma vie,

Le peu qu'il m'eût fallu, le rien que j'espérai,
Regarde dans mes yeux, Seigneur, je l'aimerai.

Elargi par le sacrifice, libéré des « petites amours », l'amour en elle va désormais s'étendre à tout, à tous.

Ne crains pas de manquer d'amour, ne garde rien
Dans tes mains follement ouvertes de prodigue.

Rien n'est vrai que d'aimer, mon âme, et d'être dupe...
Qu'est-ce que cet amour que son gain préoccupe?

O prêteuse sans fin de biens jamais rendus,
Laisse abuser chacun de ta folle abondance
Tant que, jetés au vent de l'amour, sans prudence,
Ta paix, tes jours, ta force et ton cœur soient perdus.

Tu pleures?... Tu rêvais un plus juste partage?
Quels cris en toi sous le sourire du pardon!
Tu souffres?... Tu n'as fait que la moitié du don :
Le remède d'aimer est d'aimer davantage.

Donne-toi tellement que tu n'existes plus.

Nous le savons par ailleurs : toute la vie de Marie Noël — sans réserve aucune et au détriment parfois de son œuvre — sera livrée aux autres, dévorée par eux. Certes non, l'amour, en elle, n'a pas cédé à l'appel du néant; ni ne s'est perdu dans la terre; vous ne lui trouverez pas non plus le goût âcre d'une eau de citerne. Marie Noël est devenue cette fontaine large ouverte à tous dont elle parle si souvent. Et là sans doute est le secret de la fraîcheur allègre, abondante, coulante de tant de ses poèmes.

N'allez pas croire pourtant que de cette belle histoire d'amour j'aie tout dit. Le plus beau reste à dire. L'ami est donc parti en aventure. Et l'aventure tourne mal. Telle est l'histoire contée dans *Le Chemin d'Anna Bargeton*. Et *Le Noël de l'oiseau mort* précise : « Elle avait regardé à perte de vue l'homme qui l'avait abandonnée et qui courait un danger, courait d'ivresse en perdition, courait au péril de son âme... » Et nous lisons ailleurs :

Celui que j'attendais et qui loin s'en alla
S'égare et comme il peut à tous les vins s'enivre,
Mais qui n'a pas trouvé de bonheur de quoi vivre,
Et qui pleure, et qui saigne, et mon cœur était là !

Il y est toujours. Et toujours accueillant. Se venger ? C'est ce que suggère une autre femme. Mais écoutez ce « dialogue », dont je ne citerai que deux strophes :

— S'il revenait lépreux, lui qui dans son bel âge
Se détourna de vous avec un air moqueur,
Ah ! comme vous ririez !

— Ne crois pas ton visage,
Dirais-je, pour te voir, mire-toi dans mon cœur.

— Quel cœur lâche et servile est-ce donc que le vôtre !...
Mais si, faute de mieux, son cœur usé demain
Retourne à votre amour quand il n'en a plus d'autre?

— Enfin ! murmurerai-je entre ses bras, enfin !

Cependant, l'ami « se perdait de plus en plus ». Pour lui, pour l'autre aussi, pour le couple pécheur, elle prie. Mais la voilà qui craint d'être exaucée : elle redoute un coup de la Grâce qui, tombant sur eux et rompant leur péché, brise aussi leur amour, ce « mal radieux », ose-t-elle dire, dont son désintéressement l'a faite « complice ». C'est là, convenez-en, une délicatesse rare et dont la littérature, sinon la vie, n'offre peut-être aucun exemple. Car si la poésie profane est trop indulgente au péché des amants, la poésie dévote fait peut-être trop peu de cas de l'amour des pécheurs. Et c'est l'admirable *Confession à la fontaine* (la fontaine étant Notre-Dame : « Source sainte, Onde souveraine »), poème dont il me faut, hélas ! briser le jet : voici, retenues dans mes doigts joints, quelques gouttes seulement de cette eau qui, à la source, vit, coule et chante :

J'ai peur, je n'ose... Prier nuit
Au péché que le ciel regarde,
La Grâce d'un coup trop vainqueur
Peut soudain lui briser le cœur.

O Vierge, au secret de l'Eau vive,
Je sens sous mes mains le flot bleu
Frémir de miracle... Ote-le,
Ce péché, sans que mal arrive.
De ces cœurs, le mauvais lien,
Ote-le sans leur ôter rien.

Sur eux penche ta douceur. Ote
Sans brisure, ni coup, ni pleur,
Comme un Ange cueille une fleur,
De ces deux cœurs trop beaux, la faute
Qui se plaint en eux chaque jour,
Mais garde en eux, garde l'Amour.

Et voici venu l'hiver de la vie. De plus en plus, désormais, la pensée du poète chrétien hante l'au-delà. Finie, cette fois, direz-vous, et consumée dans le brasier de l'amour divin, cette pauvre petite amourette. Détrompez-vous. Car voici le plus étrange : méditant sur le Paradis, celle qui s'est reconnue « humaine tant » y transporte son mal d'amour.

Mais en abordant les *Chants d'arrière-saison*, il nous faut signaler, dans la forme au moins, une mue très remarquable. Le poème est maintenant œuvré comme les pièces si finement agencées du moyen âge, et fait parfois penser à la minutieuse orfèvrerie des rhétoriqueurs. D'une brièveté savante et stricte, et solidement bâti avec des substantifs, le vers a renoncé à l'ampleur un peu molle que donnent les épithètes semées d'une main trop facile. C'est, dira-t-on, le desséchement de l'hiver. Feuilles et fruits tombent et l'arbre se dénude, touché par le froid. Mais alors, que reste-t-il de l'inspiration ? Et, comme toujours quand le métier fait montre d'une telle maîtrise, on se demande : est-ce que le poète n'est pas devenu un virtuose vide de sentiments, moins ingénu qu'ingénieux, et continuant à jouer de son instrument pour le seul plaisir de lui faire rendre, avant qu'il ne se brise, tous les effets possibles ? La sincérité, d'ordinaire, se concilie mal avec tant de brio. Parlons net : dans les *Chants d'arrière-saison*, l'amour ne serait-il plus qu'un souvenir déjà lointain, mais dont un artiste avisé et très adroit aurait encore su tirer parti ?

Je ne nie pas le progrès du versificateur. Mais je crois aussi qu'une âme progressivement élaguée, délivrée de ses illusions, peut garder vivant le meilleur de l'amour. A l'approche de la mort, l'amour prend déjà un caractère d'éternité : moins passionné, il est aussi moins changeant, plus profond, plus fort. Voilà bien pourquoi l'amour est partout dans les derniers chants de Marie Noël, mais comme une fleur opiniâtre qui aurait perdu dans le vent le vif de ses couleurs, le capiteux de son parfum, tout ce qui, sensuel ou seulement trop sensible, ne s'adressait qu'aux sens. Disons, autrement, que l'amour humain renonce maintenant à son long cri tragique. Et s'il s'exprime en des poèmes d'un rythme vif, où rien ne pèse, et qui rappellent les rondes court-vêtues des petites filles, c'est que, décanté, clarifié, devenu tout innocent, il nous arrive d'entre terre et ciel.

Écoutons d'abord *La morte et ses mains tristes*. Eh bien, cette morte-là n'a pas du tout changé. Dieu lui propose-t-il de lui amener au ciel son « ami traître » :

— N'en faites rien, mon Père,
La terre laissez-lui.

Sa belle y est plus belle
Que belle je ne suis.

Las ! il faudra, s'il pleure
Sans elle jour et nuit,

Que de nouveau je meure
D'en avoir trop souci.

En conclure qu'elle a, quant à elle, cessé d'aimer et que l'amour des autres lui est devenu supportable, ce serait aller un peu vite. A peine arrivée en Paradis : « Je veux m'en aller d'ici », dit-elle. Pourquoi ? « J'ai rencontré le pécheur que j'aimais tant. » Et :

J'ai vu celle auprès de lui
Qu'il aima tant jour et nuit.

C'est ta prière qui l'a sauvée, elle aussi, lui dit-on. Leur amour, maintenant, « n'a plus ni chair ni sang ». Et le « regard nouveau » qu'ils échangent est « si beau ! » Rien n'y fait : « Vous feriez mieux, dit-elle, de m'envoyer en Enfer. »

Moins brutale, plus dolente, une autre chanson dit à peu près la même chose.

— Ma fille, d'où reviens-tu?
— D'un lieu pauvre où j'ai vécu.

— As-tu chez les gens d'en bas
Trouvé place? — Presque pas.

— Ma fille, aimas-tu d'amour?
— Oui, Père, un seul, pour toujours.

— En échange, t'aima-t-on,
Ma fille? — Oh ! non, Père, non !

« Réjouis-toi, lui dit Dieu. Entre en fête et chante en chœur. » Mais telle est la fatigue de cette déshabituée du bonheur que la perspective d'un bonheur éternel ni ne la console ni ne la tente.

Dormir ! c'est tout ce qu'elle souhaite. Qu'on lui fasse un lit ! Qu'on la laisse enfin dormir !

— Mais si, pendant que tu dors,
Ton ami vient du dehors ?

Si le prend l'amour de toi ?
— Père, alors, éveillez-moi.

— Mais plutôt s'il cherche ailleurs
Qu'en toi son ciel le meilleur ?

— Donnez-le-lui, Père, mais
Ne me réveillez jamais.

De toutes ces *Chansons de Mortes*, celle de *La Folle morte* est sans contredit la plus joliment troussée, j'allais dire la plus gaie, tant son rythme est allègre et son tour mutin. « Folle », elle le paraît bien un peu cette morte qui, tout à trac et de but en blanc, ose dire à Dieu : « Mariez-moi, mon Père. » La réponse n'est guère plus sérieuse :

— Fille, fais ton choix :
Ces saints que tu vois,
Chantant d'une voix
Austère
« Regina coeli »,
En frocs et surplis,
Sont toujours céli-
bataires.

Saints, anges, archanges se voient successivement refusés. « Celui qu'il me faut, hélas ! rien ne vaut », dit-elle. Et pourtant !

Donnez-le-moi pour
M'être uni toujours.
Si de mon amour
  Qui tremble
Il n'a pas voulu,
Moi, je l'aime plus
Que tous les élus
  Ensemble.

Simple divertissement ? Jeu verbal ? Ce sont, je l'avoue, les mots qui d'abord nous viennent devant une réussite technique aussi étourdissante. Mais voici que, telle une longue vague inapaisée, l'émotion dont sont chargés tous les précédents poèmes se déverse jusqu'à ce dernier, le recouvre, l'attendrit... Cependant qu'une devise de la plus ancienne France — « Je meurs où je m'attache » — suggère une autre comparaison; et l'on admire cette fidélité de lierre, cet enroulement continu de l'inspiration poétique autour d'un thème, toujours le même, embrassé jusqu'à la mort... et au-delà même de la mort.

IV

UN POÈTE NOCTURNE

J'AI beaucoup dit déjà. Ce que j'ai dit n'est rien.

Nombreux sont les poètes de l'amour. Plus rares les poètes aux vastes ailes, qui vaguent dans l'espace entier de l'existence; qui passent si haut et voient si loin que les petits chemins de terre ne peuvent être *leurs* chemins; qui tournoient, perdus, éperdus, entre les deux éternités, ne sachant d'où ils viennent ni où ils vont, se cognant à tout dans la nuit et criant d'angoisse. C'est parmi ces « égarés » qu'il faut ranger Marie Noël.

Sans doute, à côté des poètes du désarroi, il y a, non moins grands, ceux de l'espérance. Dante, lui, ne vacille pas, et Claudel ne connaît aucun trouble. Leurs poèmes disent leur bonheur de s'avancer, avec une sécurité exultante, appuyés sur le dogme, dans un univers ordonné par Dieu même. Ils sont chez eux dans l'un et l'autre monde. Et la lumière ne les quitte pas. Et si fort est en nous le pressentiment de la joie que, mêlant leur voix à celle des écrivains religieux, beaucoup de poètes sans dogme et sans Église ont *imaginé* un état transfiguré de l'homme et du monde, une apocalypse de gloire. Qu'il suffise de citer, parmi les poètes récents, Baudelaire et Rimbaud, Apollinaire et Supervielle, Breton, Aragon, Eluard surtout. Pourquoi bouder ceux qui préludent au chant de notre accomplissement total ? Nous sommes faits — qui ne le sent ? — pour ce bonheur-là, pour cette plénitude irradiée, pour cette possession de nous et de tout dans la flamme.

Pourtant, ces poètes qui nous rassurent ne sauraient nous faire oublier ceux qui nous inquiètent. La plupart de ces derniers sont des incroyants. Que des hommes dépourvus d'une foi ferme s'avouent désemparés : sans boussole, sans repère, sans étoile, on le comprend. Marie Noël présente un cas peut-être unique, en littérature j'entends : celui d'une chrétienne dont la foi n'a jamais failli et qui a néanmoins goûté à la déréliction des incroyants et habité leur nuit. Son guide, l'abbé Mugnier, a eu raison de voir en elle la missionnaire des âmes troublées.

Vous revenez d'un grand voyage, lui écrivit-il. *Vous avez fait votre petit Dante. Vous êtes allée en Enfer. D'autres, plus nombreux que vous ne croyez, s'y débattent encore. Vos notes de route les y aideront. Les croyants n'ont pas besoin de vous... Ils sont comblés de nourriture. Les incroyants, eux, n'ont rien. Vous irez chez eux en mission. Ce sont là vos sauvages.*

Citant ces mots, elle ajoute :

En vérité, je n'avais envie d'aller en mission nulle part. Comment, voyant si peu clair, me serais-je risquée à tracer pour d'autres que moi quelque vague sente dans la grande nuit où personne ne guide personne ?

Pourquoi ne se décida-t-elle qu'en 1959 à publier ses *Notes*, écrites pour elle seule, où s'avoue crûment son drame intime? Elle craignait de troubler. Peut-être aussi de porter de l'eau au moulin de l'absurde, lequel, souvenons-nous, ne tournait que trop rond entre 1940 et 1950. Ce qui, pour l'Albert Camus du *Mythe de Sisyphe*, était un « mal de l'esprit » était devenu, par contagion, le mal des enfants du demi-siècle. Trop de publicistes portaient alors le désespoir à la boutonnière. Marie Noël ne pouvait laisser croire qu'elle sacrifiait à une mode. En 1959, la mode étant passée, elle pouvait montrer un « mal » pour lequel elle n'avait jamais eu de complaisance et dont elle était d'ailleurs guérie. Peut-être, lisant ses *Notes*, d'autres guériraient-ils aussi. Comme elle l'avouait assez clairement dans un poème publié dès 1930, le plus secret et sans doute aussi le plus inspiré de son œuvre s'adresse d'abord à ceux qui, l'attendant, l'entendront à demi-mot : aux emmurés, aux familiers de l'abîme,

A tous ceux-là qui très loin sont captifs
Dans le silence; aux âmes enchaînées
Par la longueur des muettes années
En nul ne sait quels abîmes plaintifs;
A ceux dont l'ombre a tant de murs sur elle
Qu'ils n'ont jamais pu donner de nouvelle
De leur nuit noire...

La fuite du monde • Constatons d'abord chez elle — nous essaierons de l'expliquer ensuite — un réflexe qui étonne les « habitués » que nous sommes, mais qui se retrouve à la fois chez les mystiques et chez beaucoup de poètes. Eux, justement, ne s'habituent pas à ce monde. Entre lui et eux, telle est la « disproportion », comme dit Pascal, qu'ils en conçoivent une sorte d'effroi, et qu'ils cherchent à le fuir. Je crois pourtant que l'attitude du poète et celle du mystique diffèrent du tout au tout, et que, pour passer de l'une à l'autre, une conversion est nécessaire. C'est cette conversion que nous étudierons, pour finir, chez Marie Noël. Il ne fait guère de doute, en effet, que sa réaction première ne relève que de l'instinct : combien de poètes ont dit leur déception devant l'existence ! Mais à chaque poète sa façon originale d'éprouver et d'exprimer ce sentiment commun.

Chez Marie Noël, le mouvement premier est de retrait et d'abord de peur : peur de ce monde étroit, peur des contacts, peur des visages, peur surtout des regards, car les regards vous volent votre intimité. On trouve chez elle, inscrit jusque dans la moelle de ses os, je ne sais quoi d'irréconciliable et, comme elle dit souvent, de « sauvage ». Il y a maldonne. Elle n'est « pas d'ici ». Fille du vent, elle fuira, déportée d'un infini à l'autre, d'un néant à l'autre, ne se trouvant de « place » nulle part, ... un peu comme ces oiseaux d'automne dont l'unique patrie est le vent, et qui cherchent et ne trouvent pas où se poser :

Ah ! je veux m'en aller d'ici ! Je veux, avant
L'Hiver qui vient, partir à la douleur du vent
Avec mon cœur sauvage et me perdre en automne
Et traverser d'un cri les temps désespérés,
Le noir du monde, avec les oiseaux égarés
Que le bleu du ciel abandonne.

« Me perdre » ? Oui, échapper à tout ce qui existe et d'abord à moi-même. Car pour elle, conscience est synonyme d'angoisse. Entendons ce dialogue déchiré par le vent :

— Où courez-vous, ma mie?
— Me perdre au temps mauvais.

— Qui vous conduit, ma mie?
— Le vent qui ne sait où.

— Que cherchez-vous, ma mie?
— Un lieu sans moi ni vous.

Oiseau de nuit, elle a peur de la clarté crue.

... j'ai peur du jour,
J'ai peur de l'homme tout autour...

Ce qu'elle veut? « Rien que fuir. » Où?

Loin des hommes, hors des pays, vers les derniers
Des lieux sans nom...

L'un de ses plus beaux poèmes, *Le Chant dans le vent*, est un apologue dont le sens est clair. Le Vent — le Vent désespéré « que la terre et le ciel ont trahi » — fuit n'importe où, pour soustraire sa « fille » à tout regard. Et, contre les indiscrets, il devient féroce. Le Vent, c'est évidemment Marie Noël elle-même, folle de peur, dérobant à tous son âme secrète et rêvant de griffer les « visages » qui l'approchent de trop près.

Le vent emporte au loin sa fille qui pleure,
Le vent va la cacher loin de son pays,
Le vent que la terre et le ciel ont trahi
Fuit sans terre ni ciel, fuit vers sa demeure.

Mais voici que des chasseurs montent à l'assaut du « plateau sauvage » où le Vent cache son nid, son enfant, son « secret ». L'obsession de Marie Noël s'introduit en rafale dans ces vers de onze syllabes, sans césure, à l'aile cassée :

Ils veulent aller prendre en la solitude
Le secret du pays âpre, mais le vent
Farouche, le vent, de toutes ses mains rudes,
Leur barre l'espace autour de son enfant.

Il oppose à leur marche ses mains hurlantes,
Il retourne leur route, il dresse contre eux
Un mur désespéré d'ailes hurlantes,
Part, au loin s'appelle et revient plus nombreux.

Il pousse les bois sur eux, il fonce, crie,
Leur jette aux yeux les ifs, les buissons de houx,
Il refoule avec les branches en furie
Leurs aventureux visages à grands coups.

Ce qui suit ne laisse aucun doute. Marie Noël s'est souvent comparée à un oiseau chanteur, mais invisible. Poète, oui, mais dont elle eût voulu qu'on ignorât le pays et le nom. Or, ses voisins l'ont identifiée, les curieux, traquée. Elle supplie le « grand vent de (son) pays triste » :

Veux-tu m'aller cacher? Je suis en fuite.
Je chantais dans un bois noir, mais le sentier
Des chasseurs s'est mis soudain à ma poursuite.
Ils prétendent me voir le cœur tout entier.

Ils veulent s'emparer du nid de mon âme.
Mais nul ne le trouvera...

Découverte, ramenée de force au grand jour banal, elle mourrait. Car elle est

Celle qui tremble trop pour être entendue,
Si tendre qu'un seul, qui ce soir remuerait
Le feuillage où palpitante elle s'est tue,
D'un regard, d'un seul à peine, la tuerait.

Par son humilité, le *Chant du Crapaud* est plus bouleversant encore. Qu'est-ce qu'un pauvre crapaud ?

Un chant... Dans la nuit noire une voix qui se cache.
Qui chante! O Dieu! mieux vaut qu'on n'en soupçonne rien,
Et que, puisque c'est moi, personne ne le sache...

Qu'est-ce encore ? Une étoile étouffée, un « pleur de lune », « un cristal blessé qui par terre se brise », une « note orpheline ».

N'allez pas regarder qui je suis sous la mousse :
Un pauvre être honteux qu'il faut laisser dessous.

Où suis-je ? Quelque part, plein de ma voix obscure.
Votre cœur s'est penché dans l'ombre : je suis là.

Je suis là goutte à goutte en train de disparaître...
Je ne suis rien...
N'approchez pas.

Le pauvre être s'immobilise, s'amenuise. Bientôt, moi qui ne suis que trop visible, je ne serai plus rien.

Ah! s'il pouvait se dissoudre dans le néant vaste et noir!

Prenons garde toutefois : qui donc a jamais eu le goût du néant ? Et Marie Noël moins que quiconque. C'est la Vie qu'elle exige. Elle la veut totale, plénière, rassasiante — mais d'une pureté de diamant et d'une liberté sans limites. Seulement, notre existence ici-bas ne va pas sans souillures ni contraintes. C'est bien pourquoi Marie Noël eut « de naissance », devant le monde où elle entrait, cette peur, cette tentation de refuir. Toutes les peines qui surviendront ne seront rien, comparées à cette blessure originelle.

Ne faisons pas de Marie Noël un cas pathologique! Ni même une exception. Sa protestation est tellement normale que nous la retrouvons chez tous les êtres exigeants. Mais je comprends que beaucoup de lecteurs restent non seulement méfiants, mais perplexes devant certaine littérature. Méfiants, car, chez plus d'un poète, la protestation contre la condition humaine se fait si éloquente, si emphatique, qu'on la soupçonne d'être toute verbale et de sacrifier à l'inflation romantique. Leur attitude est belle ? Ce n'est qu'un rôle et qui sent le théâtre. Mais qui aura jamais l'idée de ranger Marie Noël parmi les comédiens de l'inquiétude? Elle a si bien, dans ses poèmes, voilé son mal, que de bons juges, hier encore, déclaraient ne pas l'y voir.

Mais la sincérité fût-elle évidente, certains lecteurs, disais-je, demeurent perplexes. Refuser une existence indigne, est-ce possible ? Certes, Mallarmé l'a tenté, lui qui s'est efforcé d'atteindre à la pureté et au silence du néant. Mais ce n'est qu'en poésie, son activité étant, pour tout le reste, celle d'un petit bourgeois résigné aux laideurs de l'existence. Reparaît alors, subtilement, même dans son cas, le reproche de « littérature ». Parmi les obsédés de l'absolu, seuls paraissent logiques, en définitive, ceux qui refusent tout de cette vie : ils se suicident. Ainsi voyons-nous ces fascinés de la nuit que sont les personnages de Julien Green et de Franz Kafka s'échapper — sauve qui peut! — par ce grand porche ouvert sur le néant. Et leur mort s'accompagne d'une sorte d'extase. Enfin! ces dégoûtés s'arrachent à l'enlisement! Ces captifs ont forcé leurs barreaux! Ces apeurés n'auront plus peur!

Notre instinct, pourtant, nous le dit : fuir la vie est à la fois une défaite et un crime. Car s'il est lâche de se résigner à toutes les compromissions, sans doute ne l'est-il pas moins de fausser compagnie à la communauté des hommes, de rompre des « attaches » qui sont aussi des devoirs et de chercher le repos dans un absolu exclusif de tout visage, de tout amour, de toute vie. Les hommes véritablement grands sont ceux qui, tenant les deux bouts de la chaîne, ne désespèrent jamais de mettre — mais comment ? — la pureté dans la boue, l'infini dans le fini, l'éternité dans tout instant qui passe. Ainsi voyons-nous Julien Green, dont les personnages glissaient tous vers l'évasion, préconiser dans son *Journal* la communion — une communion radieuse — avec la vie présente : avec la nature, avec les hommes, avec « le bel aujourd'hui ». Elle aussi, Marie Noël a « tenté de vivre ». Comment ?

Comment concilier existence et liberté ? •

Rester pur et rester libre. De nos jours, pour ne citer que deux noms, Anouilh et J.-P. Sartre ont rappelé ces exigences et les ont dites impraticables, Anouilh insistant sur la pureté, Sartre sur la liberté. Il nous faut nous borner : ne parlons que de l'exigence de liberté chez Marie Noël.

Sur ce point, même devant l'Église et même devant Dieu, elle ne transigera jamais. La liberté, elle la veut sous toutes ses formes : physique, intellectuelle, spirituelle. Toute atteinte à sa liberté la trouve intérieurement cabrée. Tout ordre imposé lui est scandale. Horreur des clôtures, barrières, limites et interdits. Et déjà cette aversion se laisse voir dans un poème de jeunesse où elle se libère et qui en dit long. Une chèvre parle dans ces vers. Au milieu du troupeau, la chèvre « n'est pas comme les autres », comme les « moutons »,

... ces gens de tout repos,
Qui font tout bonnement tous une même chose.
Je m'ennuie à mourir sur ce chemin morose...
Je n'aime pas brouter l'herbe déjà tondue,
Ce petit foin sans goût, sans fleur inattendue.
Rien de nouveau, rien, rien... Tout est toujours pareil.

N'est-ce pas clair ? Chez cette fille sage qui ne cessa de tourner, telle l'ombre, autour de son clocher, comme attachée à ce piquet, c'est le besoin d'évasion qui s'exprime. En imagination, Marie casse la corde de l'habitude, s'échappe, s'évade avec la chèvre. Elle respire alors, en des vers larges, aux coupes libres, un air irrespiré. Notez les mots où s'avoue l'horreur des visages trop connus, le besoin de solitude et d'espace vierge.

Je m'échappe, je cours à travers la campagne,
Je bondis pour trouver quelque peu de montagne,
Je grimpe à des talus très hauts de chemins creux.

Marie Rouget
en 1898

1898. Le Vivier, propriété d'une vieille amie, Mlle Labrune

Marie Rouget, son cousin Louis Barat,
et ses frères, Henri et Eugène, au Vivier

On est très bien tout seul, sans moutons, si loin d'eux
Qu'ils semblent tout au fond du val des pierres grises.
Les thyms inviolés ont des saveurs exquises...
Je cours, je broute ici, puis là... je perds du temps,
Je hume l'odeur froide et sauvage des vents.

Bien innocent, direz-vous, ce besoin d'évasion! Quelle jeune fille ne rêva, l'espace d'une seconde, d'échapper au monde étroit des mères et des commères, à leur regard froid, à leurs maximes paralysantes, à leur sagesse ? Ah! fausser compagnie à tous ces « habitués »! Mais ce monde étroit, c'est aussi, ce sera bientôt, pour Marie Noël, la condition humaine, où la liberté est tenue en cage, où le cœur étouffe. En sorte qu'un vague malaise, puis la peur, enfin la rage de forcer les murs de la vie, prendront chez elle un sens métaphysique.

De la famille, par exemple, quel mal n'a-t-elle pas dit ? La famille nous « plie à ses préjugés », nous « asphyxie », nous « stérilise ». En famille, on (les femmes surtout) « se surveille, se jalouse, se gêne mutuellement ». Vous avez votre âme à vous, bien à vous, une lueur de génie personnel qui parfois passe dans votre regard ? Voilà qui ne se pardonne pas. Cachez-vous, ou sauvez-vous! Quant à elle, elle a cru de son devoir — mais était-ce bien son premier devoir ? — de se livrer à la machine broyeuse et concasseuse. Elle l'avoue, avec un sourire un peu triste :

Je ne me suis pas assez aimée. Toute ma lutte a été de me tordre, de m'éliminer, de m'atténuer, de m'user et raboter tous les jours pour faire passer — difficilement — mon chameau et ses bosses par le trou de l'aiguille bourgeoise, paroissiale et familiale.

Ce chameau un peu ahuri se retrouvera dans le *Noël du chameau*, où une pauvre servante n'est pas moins ligotée que Marie Noël :

Depuis qu'elle était au monde, elle avait été soumise à toutes les autorités du ciel et de la terre, aux commandements de Dieu, aux ordres de Madame, aux mandements de carême, aux arrêtés de M. le Maire, aux ordonnances de police, aux lois. Ah! les lois! quel respect elles lui inspiraient! quelle crainte! De tous les côtés il y en a qui ordonnent, défendent, empêchent, interdisent...

« Par la famille, pour la famille et ce monde autour, nous confie encore Marie Noël, j'ai compromis — perdu peut-être — mon âme et mon œuvre. » Dieu me pardonne! Quand Gide a lancé son fameux : « Familles, je vous hais! », voulait-il dire autre chose ? Elle s'est senti parfois de vastes ailes de poète, de mystique, de poète mystique; mais, se voulant fidèle aux menus devoirs quotidiens, elle se les est consciencieusement rognées. Son besoin de détente, de libération et de fantaisie se fait jour dans un morceau d'un tour charmant. Elle rêve : « Si j'étais plante..., si j'étais animal... » Je voudrais être une plante sauvage et un animal libre.

Et j'aurai été toute ma vie animal des plus domestiques, bête de somme, chien attaché, serin en cage, ou légume à faire la soupe. C'était la volonté de Dieu.

Mais comment Dieu, s'il est Liberté, peut-il, non seulement tolérer, mais *vouloir* pour sa créature cette contrainte meurtrière, cet étouffement? Première antinomie, nous en verrons bien d'autres. Car si l'ordre de la maison est le premier senti, c'est tout *ordre* qui trouve Marie Noël d'instinct rétive, tout ordre préexistant et devant lequel il lui faut plier. Une liberté créée pour plier, quel destin absurde!

La ville moderne l'épouvante, « où se croisent et s'entrecroisent les multiples câbles de la science humaine », où l'existence de chacun est saisie dans des engrenages. A la pensée de cette servitude universelle et de cette vie sans joie, devant ces « grandes personnes bien ordonnées, ... qui sont là toutes ensemble à obéir », Marie Noël a un cri d'anarchiste : « Sauver la désobéissance! »

Sans doute, mais ne faut-il pas obéir? Et n'est-ce pas l'Église qui l'ordonne? Ce n'est jamais sans quelque effroi qu'elle évoque « les Puissances sévères et sacrées : Famille, Religion, Église ». « Quand je n'avais pas peur, dit-elle encore, j'étais joueuse, maligne et gaie. » Seulement, elle avait toujours peur. « J'avais toujours le cœur emmailloté d'obéissance et rempli de saint tremblement. » Mauriac a osé dire que l'Église était sa « pierre d'achoppement ». Marie Noël l'a pensé, l'a écrit avant lui. Sur elle, comme sur Mauriac, l'Église pèse de tout son poids humain : j'entends l'Église en tant qu'institution et ordre social, l'Église armée de règles et de défenses qui lient chaque fidèle jusqu'au centre du cœur. Marie Noël compare la Loi de l'Église à celle qu'impose la belle-mère à sa bru, et qui paraît plus dure que celle de l'époux.

La belle-mère parfois commande plus qu'elle ne devrait, elle abuse de son âge, de son expérience, de son autorité, du respect qu'elle inspire. Et la petite bru la craint. Elle n'ose pas respirer à sa guise à côté d'elle. Mais, pour l'amour de l'époux, silencieuse, elle se soumet.

Ainsi, Seigneur, chez Mère Eglise, je n'ose guère être moi-même, je me tais. J'ai peur d'elle dès que je pense — je redoute ses mains humaines qui sont dures et inflexibles — mais pour l'amour de Toi, Seigneur, je ferai tout ce qu'elle voudra...

... Dis-lui qu'elle ne serre pas trop, sur ma poitrine, ses mains puissantes, dis-lui qu'elle me laisse respirer un peu.

Où l'on voit que c'est par amour, en définitive, qu'elle se soumet, non par esprit servile. Car, aimante elle se retrouve libre. Combien d'autres se sont révoltés! Solution simpliste : c'est sacrifier l'Amour infini, qui ne peut se rencontrer que sur les chemins de la terre. Ainsi fait Sartre qui, ne sachant comment concilier Dieu et la liberté humaine, tranche, dans *Les Mouches*, avec la décision d'un philosophe à idées claires. « ... Il ne fallait pas me créer libre, dit Oreste à Jupiter... La liberté s'est retournée contre toi... A peine m'as-tu créé que j'ai cessé de t'appartenir. » Chez Marie Noël, le goût de la liberté est aussi exigeant,et, dans ses *Notes*, on croirait parfois entendre Sartre. Mais, chez elle, c'est Dieu qui exige la liberté de l'homme, parce qu'Il ne veut être aimé que d'un amour vrai, d'un amour libre :

J'ai créé l'homme, dit Dieu. Je l'ai fait libre. A mes dépens. A ses dépens. Je l'ai fait libre. Il a péché. Il était libre.

Son corps m'est soumis, non son âme. Elle seule peut dire Non! comme me l'a dit l'Ange. Ainsi l'ai-je voulu pour qu'elle pût, de gré, non de force, me dire Oui.

Qu'ajoute à ma gloire, à ma joie, un adorateur servile, un esclave?

Sartre choisit et se retrouve seul, son blasphème à la bouche. Marie Noël veut tout : elle veut Dieu mais aussi la liberté, l'obéissance mais à l'intérieur de l'amour. Toujours les deux bouts de la chaîne. Elle est plus qu'un philosophe : une âme vivante. Elle n'y voit pas clair ? Pas plus que la chrysalide qui, patiente, se confie à la vie et au temps pour la faire déboucher dans la lumière.

Sur Marie Noël « libre penseuse », j'en pourrais dire long si la place m'en était donnée. L'écoutant, vous croiriez parfois entendre Montaigne, dont elle a le rude bon sens et les éclairs de tranquille malice. Aussi défiante des idées reçues. Aussi indépendante. Aussi seule.

Les « idées » de la majorité d'entre nous ne sont pas affaires de pensée, mais de milieu, d'époque, d'intérêts conscients ou non.
Celui qui pense pour de bon, à lui seul, qui remet en question, par nécessité d'esprit, sa foi, sa morale et toutes les sacrées opinions de ses contemporains, condisciples, compatriotes, coreligionnaires, le trouvera-t-on une fois par hasard parmi tant d' « intellectuels » qui parlent ou écrivent ?
Il y a beaucoup de gens très intelligents qui ne pensent pas.
Celui qui pense ? Malheur à l'homme seul ! Que celui-là se taise !

La liberté de pensée, elle l'a revendiquée autant et plus que son compatriote Paul Bert, dont la statue écrase le pont de l'Yonne. Vive, fantaisiste, aérienne, Marie Noël n'écrase rien ni personne. Et, tout compte fait, elle estime qu'il y a plus d'invitation à la liberté dans les clochers d'Auxerre (tels que les a vus Mac Avoy, le peintre de Marie Noël) : implantés dans nos vies quotidiennes, ils les arrachent aux contraintes de la cité, les élevant jusqu'à l'air inviolé où passe, avec le grand vent sauvage, le souffle de l'Esprit.

Toutes les difficultés qu'offre la foi à un esprit lucide, elle les a connues, allant droit à l'essentiel, et les exprimant avec une force qu'on rencontre rarement chez les incroyants. La vérité révélée par Dieu nous est transmise par l'Église, par des hommes d'Église, par des hommes. Ils la définissent. Mais quelle « contradiction » ! *Dieu infini — Dieu défini !* Dieu réduit à nos petites têtes ! Ici encore, Marie Noël ne lâche rien. Elle tient à la fois le dogme et le Mystère. Pour elle, comme pour tout chrétien éclairé, le dogme préserve l'intégrité du Mystère dont il est le moyen d'accès, la porte d'entrée. Lisez ses poèmes chrétiens, et vous verrez que sa méditation sur *les* mystères vise l'*unique* Mystère, s'y acclimate avec douceur et finalement s'y engouffre. Car les dogmes ne sont pas comparables à des points noirs, à des zones interdites au regard, mais à des sources lumineuses, à des constellations qui nous orientent dans la nuit qu'est pour nous le fascinant, l'aveuglant Mystère divin. Dieu tout seul, dans son éloignement et sa solitude, lui fait peur, nous le verrons bientôt. Mais il y a l'Homme-Dieu. Mettre ses pas dans les pas de l'Homme-Dieu, c'est pénétrer pas à pas, à petits pas humains, dans l'immensité de Dieu. Marie Noël peut épouser hardiment toute l'audace de certains poètes-prophètes, car elle va finalement plus loin qu'eux.

L'anticléricalisme de Hugo : intolérance de « Voyant ». Les visionnaires, les prophètes n'ont jamais beaucoup aimé les Églises.

Ils souffrent, pour elle, du rapetissement de Dieu dans l'administration humaine de Dieu.

Ils endurent mal que l'Illimité soit, aux mains des prêtres, chose circonscrite, bornée, gérée comme tel domaine de ce monde et que l'ignorance trace sur l'abîme d'honnêtes petits sentiers de troupeaux.

Et pourtant, pour ces troupeaux — de la source divine à la soif humaine — un chemin est nécessaire, divin du côté de Dieu, humain du côté de l'homme : l'Homme-Dieu.

Et l'Église, dans son incarnation la plus médiocre — tel prêtre obscur qui conduit et donne Dieu tous les jours à l'homme —, lui est plus illuminatrice que le plus haut Voyant aux prunelles les plus aiguës qui n'a rien à lui donner, lui, que l'inspiration de ses yeux sublimes...

C'est pourquoi entre un prêtre et sept prophètes, je vais au prêtre.

Elle va au prêtre ? Précisons : il y a chez elle un sain anticléricalisme, non le moderne, avec sa hargne bête et son mépris du sacré, mais celui des fabliaux, celui de chrétienté, lequel ne manque jamais de signaler avec un sourire narquois ce qu'il y a d'inévitablement professionnel chez le clerc. « Dieu n'est pas un sur-prêtre », écrit-elle. Si elle va au prêtre, c'est parce qu'il la projette plus loin que tout autre dans le seul domaine où elle soit libre. Il faut donc le dépasser lui-même et ses limites. Elle n'aime pas non plus ce qu'elle appelle « l'orthopédie de la perfection », ni la vertu cultivée en pot, ni surtout les vertueux. Comme Péguy, elle ferait volontiers dire à Dieu : « Je ne suis pas vertueux ! » D'où la terreur qu'elle eut un jour à la pensée d'entrer au Paradis.

Vision décrit l'âme arrêtée net « sur le seuil » du ciel. Arrêtée par la peur. Peur de qui ? Des saints « assis en rond » pour la juger.

Comment m'avancerai-je à travers cette fête,
Parmi les saints autour du ciel assis en rond,
A pas lents et portant mon péché sur la tête,
Pendant que tous ensemble ils me regarderont ?
. . . .

Quand je les rencontrais l'un ou l'autre sur terre,
J'en avais peur, je cachais vite mes pensers,
Mes rêves, mes amours à leur regard austère,
Et le monde était grand quand ils étaient passés !

Et maintenant les voilà tous ! Et moi, la folle,
Je tremble sur le seuil comme un mauvais enfant
Qui va tomber aux mains de ses maîtres d'école,
Seul, et qu'aucune mère auprès d'eux ne défend.

Celle qui récusait le jugement du monde retrouve le monde, retrouve Auxerre et mille regards braqués sur elle. « Comment affronterai-je une telle assemblée, moi qui sur terre me suis cachée aux gens ? » Elle ne voit donc d'abord dans « l'effrayant Paradis » que les « justes » de la terre, rendus plus assurés encore, maintenant que les voilà juchés sur des trônes. Entrer au ciel ? « Je n'ose pas. » Il lui semble que ces diplômés de la vertu la chassent « comme un chien ». « Va plus loin, va-t'en ! Qui te connaît ? Passe ! » La cathédrale d'Auxerre présente plusieurs fois la Cour céleste. Au portail méridional, les Pères de l'Ancien Testament siègent sur des trônes. Marie Noël aurait-elle été, petite fille, marquée par cette « vision » ? Toujours est-il qu'une imagination obsédée et non encore purifiée transporte dans le domaine spirituel où il n'a que faire ses représentations et ses phobies.

« Connais-moi, connais-moi! ». Être connue à fond, mais par Dieu seul. C'est ce que tu demandes ? Tu l'obtiendras. Mais il te faudra subir le dépouillement dont il est question dans le livre de Job. Écartés les « amis » de Job et leurs paroles trop humaines, il te faudra subir le tête-à-tête avec la Vérité vraie, avec Dieu. Car on n'atteint pas Dieu en s'élevant vers Lui par une flambée d'imagination, — qui ressemblerait d'ailleurs par trop à une création de poète; on ne Le trouve qu'en tombant en soi-même, dans la nudité de soi-même, dans une Lumière qui ressemble à la nuit, — là où défaut tout secours humain, où tout visage connu s'efface, où Dieu lui-même n'a plus de visage.

« Serrée de près par les devoirs, je n'ai eu que Dieu pour espace », a-t-elle écrit. Va-t-elle trouver en Dieu l'aire de déploiement où puisse enfin s'ébattre et jouer sa liberté?

En Dieu l'attend le grand péril.

Ténèbres et lumière • Chute dans l'abîme. Elle-même, dans ses *Notes*, a marqué la place :

Croix au bord de l'abîme.
C'est ici qu'un malheur arriva.
C'est ici qu'une âme est tombée de Ciel en Enfer.
C'est ici qu'elle s'est débattue à mort
Sur une sente vertigineuse où personne ne passait.

C'est ici qu'aucun homme ne l'a aidée.
C'est ici que les anges l'ont abandonnée.
C'est ici que Dieu a détourné la tête.
Ici, ce malheur arriva.
Priez !

Comment débuta l'aventure ? Une allégorie nous le dit, obscure et transparente comme celles qu'inventent les mystiques. « Vers le milieu de mon âge », dit-elle, jeune fille sage, je suis partie avec « mon petit panier » et « mon chapeau de beau temps ». Non, je ne cherchais pas le risque. Je suivais « la sente la plus fidèle, qui ne tromperait pas même le pied d'un petit enfant ». Recommandations :

Seule, va-t'en au bois,
Notre petite fille.
Cueille, si tu la vois,
La mûre, la myrtille...

Mais, ah! toi, ne va pas
Toute seule en ton âme.

« Car c'est un grand pays plein de malaventure. » D'ailleurs, comment y tomberait-elle ? On a mis

... dessus des vertus
Fortes comme du fer;
Et des chaînes dessus
Froides comme l'hiver;

Et dessus, lois sur lois,
Prières sur prières,
Car qui sait quels abois
Sont en prison derrière?

Vaines, tant de prudences ! L'exacte piété ne protège pas ceux qu'appelle le gouffre.

Au jardin je suis entrée
— O danger qui n'a rien dit ! —
Au jardin d'après-midi,
J'ai mon âme rencontrée,

Comme en l'herbe haute un puits
Ouvert à la dérobée,
Mon âme, béante nuit,

Et dedans je suis tombée.

Elle tombe ! En bas, elle ne sait quel océan noir l'aspire. En vain s'agrippe-t-elle au bord. Ses proches, déjà, ne l'entendent plus :

Adieu ! mes parents, mes proches,
Ces yeux, ces voix, ce foyer.
J'entends que mon âme approche
A grands flots pour me noyer.

Adieu ! la nuit va me prendre.
Allez tous dormir, allez !
Qu'on me laisse enfin descendre
Dans mon mal pour l'appeler.

Elle tombe, dévale tous les degrés de l'horreur et pousse un cri dément :

Pour trouver dans la nuit seule
Le cri qui va me tuer.
Ah !...

Au fond de ce « gouffre », de cette « bouche d'effroi » où « bâille l'horreur éternelle », Dieu est là. Est-il là ? Est-ce lui, cet « éclair sans visage », cette lumière noire concentrant ses feux sur le seul péché ?

Et, par-dessous, la mer
D'épouvantable eau basse
Et, dedans, Dieu, la face
Retournée à l'envers...

Et des péchés, dedans,
Qui crèvent, les yeux vides;
Et des remords flottants
Entre les eaux livides...

Dieu est à la fois absent et trop présent. Est-ce lui, cet être non seulement sans visage, mais sans cœur, et qui paraît féroce ?

Dieu, le Noir, le Puissant,
Le Seul ! Et sa loi seule
Qui tourne... et tout le sang
Du monde sous la meule.

« Vous avez été, dira-t-elle à Dieu, mon unique adversaire », « le risque ténébreux où j'ai couru sans armes ». Sans armes, oui, car, dans la nuit, comment « discerner » les Esprits? Est-ce Dieu qui la purifie? Ou le démon qui se joue d'elle? (Qu'on se rappelle l'incertitude du pauvre prêtre dans *Le Soleil de Satan.*)

Personne n'était Vous, ni chair, ni sang, ni voix,
Ni regard, ni pitié dans le vide, personne!

Je vague abandonnée à la terreur des cieux.
Je m'accuse... J'ai dans l'âme une place impie,
Un lieu vertigineux où je suis poursuivie
Dans une arrière-nuit par un arrière-Dieu.

Un gouffre sans naissance au fond toujours ailleurs,
D'où souffle, par-dessous les époques profondes,
Quelqu'un sourd et muet qui met le Mal au monde
Et qui peut-être est Vous... ou ne l'est pas, Seigneur.

O Dieu trop grand, trop noir, que je ne connais pas.

Les *Notes intimes* ont éclairé ce drame. C'est le coriace, l'irréductible problème du Mal qui d'abord assaille l'esprit. Si Dieu est le *bon* Dieu — le créateur, la source de toute la bonté répandue en nous et dans le monde —, qui donc ne se porterait vers Lui de tout le poids de son cœur? Mais est-ce *ce même* Dieu « bon » qui a créé la mort, qui a voulu que la terre soit un charnier de milliards de morts? On répond : ce n'est pas Dieu qui a créé la mort, c'est le péché. — Mais ce petit enfant qui meurt dans mes bras, quand a-t-il péché? Entendez, chez Marie Noël, ce cri des entrailles, ce « hurlement » d'une mère qui voit mourir son enfant :

Que me veut-on? Que j'aille et prie,
Quand vient le soir,
Leur Dieu, leurs saints et leur Marie,
Pour te revoir?
C'est contre eux tous que mon sang crie
De désespoir!
Ces loups du ciel, voleurs de vie!

Cette révolte de l'instinct, combien de saintes femmes l'ont connue, qui sauront gré à Marie Noël de l'avoir exprimée avec cette franchise! Elles aussi, à l'heure affreuse, se sont crues vides de foi.

Vous êtes Dieu, Vous êtes bon...
Vous l'êtes... mais mon sang dit non!

Je le dis, mais le cœur que j'eus
Pour y croire, je ne l'ai plus.

En vain, dans cette éclipse de la foi, essaie-t-on de se raccrocher à la raison. La raison ricane : si tu veux excuser ton Dieu, le laver de tout ce mal, imagine, à côté de Lui, *un autre* dieu, créateur du mal.

Mort de petite enfant. Son agonie. L'appel désespéré de son souffle.
Après cela, regarder Dieu.
Qu'est-ce que Dieu? Qu'est-ce que Dieu?
Les êtres primitifs adorent une pierre grimaçante qu'ils n'osent pas regarder. En adorant, ils détournent les yeux avec effroi.
Mais toi? Ton Dieu d'hier. Ton Père? Ton unique Bien?
Ah!... Ne reconnais pas le malheur pour dieu. Dieu est bon. Dis-le! peut-être que tu le croiras.

O Vous qui m'avez conduite par la main dans mes chemins d'angoisse... sauvez-moi ! je suis en danger. Sauvez-moi du Mal-dieu, qui derrière Vous me guette.

Êtes-Vous le plus fort ? Ou lui ? Êtes-Vous le même ? Non.

Je vous ai aimé, Vous, mon Père, et lui, notre Mal, je le hais !

Lui, « la Puissance des Ténèbres », le Destin noir qui profite de ma faiblesse, de ma douleur, pour troubler ma raison et se faire prendre pour Vous-même.

Deux Dieux ? Folie ! Il y a plus de folie dans la raison que dans la foi. Car le mal est un mystère comme la foi. Réalité existentielle, il déborde de toute part la raison. Situé en dehors d'elle, il retentit en elle, qu'il déconcerte et désespère. Mais peut-être ce désespoir est-il nécessaire pour que l'âme, privée de tout appui, s'abandonne au vide, s'acclimate à la nuit et y voie poindre peu à peu une autre lumière. Ébranlé le confort, désarçonnée la suffisance, dissipées les petites idées têtues de nos petites têtes, Dieu peut apparaître, non plus le Dieu des imageries pieuses, mais celui avec lequel Job dialoguait.

Expérience peu commune. Plus rare encore en poésie. D'autant plus précieuse à recueillir. Après avoir lu les vers qui suivent, inouïs dans notre littérature, et où un être éperdu croit toucher le fond de l'enfer alors qu'il n'a jamais été plus près du ciel, s'obstinera-t-on à faire de Marie Noël le poète de je ne sais quelle confiserie dévote ? Nos poètes ont plein la bouche de leur solitude. Qui d'entre eux a goûté à celle-ci ?

Personne au ciel, personne au monde
Dévasté,
Personne dans sa nuit profonde
N'est resté.

Elle n'a plus ni Dieu, ni Père,
Plus jamais
Ni toit, ni seuil, ni ciel... Elle erre
Hors de paix.

Est-elle folle? Est-elle morte?
Un grand cri
Jusqu'au bout de l'angoisse emporte
Son esprit.

Dieu! ... Ah! ma petite colombe
En a peur.
Au fond de ce gouffre elle tombe,
Elle meurt.

Est-elle morte? Est-elle folle?...
L'ange amer
Qui l'emporte peut-être vole
En enfer?

L'épreuve eût été incomplète si Marie Noël n'avait pas cru avoir perdu la foi.

Il m'était arrivé malheur. J'avais traversé, en automne, une solitude désolée où j'avais perdu le visage de Dieu. La joie de la foi, — si ce n'est la foi elle-même, — et rien ne me restait pour vivre hors je ne sais quelle espèce d'amour aux yeux crevés qui, sans plus rien voir, adorait encore.

Aussi ajourna-t-elle jusqu'en 1947 la publication des *Chants et psaumes d'automne.*

Des profondeurs de la nuit où je m'étais égarée, je ne pouvais plus répondre en croyante à la confiance des croyants qu'avait attirés, en avril, ma prime lumière et qui me réclamaient, toujours la même, une Chanson qui vînt du Ciel.

Ma Chanson d'Automne, peut-être, revenait d'Enfer ou du moins de cet abîme où tombent dès ici-bas certaines âmes qui se sont trop loin aventurées dans les ténèbres intérieures. A ceux et à celles qui s'étaient, trop tôt, trop fiées à moi, qui m'avaient crue plus sûre fidèle que je n'étais, ... comment révéler sans péril ma vérité vraie?

Marie Noël a-t-elle perdu la foi, comme elle le crut un temps? Entendons-nous. En tant que valeur *possédée* — possédée comme un objet : clef tenue dans les doigts, titres gardés dans un tiroir ou bijou serré dans un écrin —, oui, Marie Noël avait perdu la foi. Elle lui est échappée des mains au moment de sa chute dans le puits d'horreur. Mais, ayant perdu le peu qu'elle possédait, elle avait tout gagné, comme le promet l'Évangile : « Qui s'attache à soi se perd; qui se perd pour moi se trouve. » Car au fond de son puits, Marie Noël n'a à aucun moment lâché « la corde obscure » qui la rattachait à son Seigneur. Dès lors, la foi n'était plus pour elle un objet, mais une Personne; un objet possédé, mais une Personne aimée et qui nous aime.

Un incroyant me comprendra-t-il si je dis que ces oscillations, ces écarts extrêmes de pensée et même ces doutes se produisent *à l'intérieur* d'une pensée chrétienne et sont eux-mêmes chrétiens? Bateau ivre, embarcation désemparée et jetée d'un bord à l'autre sans pouvoir aborder, l'âme se sent avec effroi la proie de l'Océan. Mais l'Océan, c'est son Seigneur. Brisant, élargissant les limites de la raison et des systèmes idéologiques, jetés dans un « espace » infini, il est normal que nous nous croyions d'abord perdus. Écoutons Marie Noël :

Qu'il est petit celui qui ne s'est jamais perdu en soi-même comme dans un désert sans route...
Mais celui qui traverse le monde et ne peut pas gagner son propre rivage,
Celui qui fait plusieurs fois naufrage en soi-même,
Celui qui ne sait pas son propre nom,
Celui que Dieu ébranle et ne laisse pas reposer comme la lune qui fait sans cesse osciller la mer,
Celui-là est l'homme...
Une grande misère.

Et l'unique grandeur ! La foi prête ses ailes à la raison comme l'aigle au roitelet emporté avec lui, mais elle ne préserve pas la raison « égarée » d'éprouver le vertige. Et c'est précisément parce que nous avons les repères des dogmes, parce que la nuit est balisée par l'Église, que nous pouvons nous aventurer si loin, ... aussi loin, plus loin que les plus hardis des philosophes. Ce que Marie Noël exprime très bien à sa manière imagée :

DIEU, ...

Un dangereux espace sans bornes où parfois je m'égare.
Heureusement, il y a la piste.
Il y a le Christ.

Il y a l'Église, comme un roc au milieu de la mer, un arbre dans le désert, qui empêchent les oiseaux sauvages de périr de leur long vol.

Obéissance : arrêt de l'âme à toutes les lois, sur la foi du moindre prêtre. Repos.

Puis reprise du vol. Liberté dans la prière sans limite.

Mais toujours la piste invisible.

Oui, les doutes eux-mêmes sont priants, sont prières, et, si affolants qu'ils soient parfois, ils se débattent au sein d'une sécurité essentielle. « Le doute, cette adoration ténébreuse », écrit Marie Noël. Adoration, oui, et d'autant plus pure que plus ténébreuse. C'est que le chrétien se sait chez lui dans le Mystère. Il peut parcourir tout ce monde et tout l'autre sans sortir de son « héritage ». Il s'y aventure avec la liberté des enfants de Dieu. Bien qu'il ait peur parfois dans le jardin paternel, l'enfant sait que le père ne le quitte pas des yeux. Ce qui caractérise Marie Noël, c'est le contraste entre l'âpreté, la stridence, la folie même de certains cris, et d'autre part une confiance si abandonnée et souriante que ces cris s'en trouvent annulés et rendus dérisoires. Marie Noël, c'est un enfant qui parfois hurle de peur... mais dans les bras de son père. En effet, ce Mystère qui nous enveloppe et nous enserre, qu'est-ce d'autre, pour le chrétien, que les bras de Dieu ?

Et c'est pourquoi les doutes de Marie Noël ne nous désorientent pas. Permettant un vol plus hardi, ils nous détachent de nos vies mesquines, sans pour autant nous égarer. Nous faisant explorer l'immensité de Dieu, ils aident chacun de nous à se *situer* — comme un point de plus en plus infime, adorant et confiant — à *l'intérieur* de Dieu.

V

ÉPILOGUE

A Marie Noël, Dieu ne fait plus peur. Dans ce monde étroit, où tout est contrainte, elle a longtemps « cherché sa place ». En vain. Sa place, elle l'a enfin trouvée : c'est Dieu, seul assez grand pour qu'une liberté, libérée, s'y éjouisse.

Certes, elle ne peut nous guider « dans la grande Nuit » où, dit-elle, « personne ne guide personne ». Du moins peut-elle nous donner ce conseil autorisé par l'expérience :

Quand ton cœur coulera dans l'ombre intérieure
Comme un noyé par l'eau fatale enseveli,
Quand tu verras ton Dieu cessant de te défendre,
Qu'à jamais tout regard s'est retiré de Lui,
Rien ne te sera plus que vide, sauf apprendre
Un seul mot, ta leçon, un seul sans autre : Oui.

Dis-le, docile, et coule, avale tout l'abîme
Où le ciel renversé sombrement s'engloutit.
Coule, joignant les mains... C'est au fond qu'est la cime.

Ah ! quelle délivrance est au fond de l'abîme !
Voici ma joie avec son glaive de vainqueur.

De tout son instinct puissant, Marie Noël avait demandé à la vie deux choses : la liberté et l'amour. A s'en tenir aux apparences, peu d'êtres humains auront été privés comme elle d'amour et de liberté. En réalité, cette étude l'a montré, peu d'êtres humains auront aimé comme elle, et comme elle conquis la liberté intérieure. Ligotée par les mille liens de la vie, Marie Noël a d'abord cherché dans l'amour humain l'espace libre où elle pût respirer. Et la merveille, c'est qu'elle n'ait jamais ni renié ni même oublié cette fleur printanière de son cœur secret. Ne l'avons-nous pas retrouvé, cet amour, dans les derniers poèmes, rose d'hiver toujours intacte et toujours vivace ? Même saisie par Dieu, Marie Noël reste la sœur de toutes les amantes de la terre.

Mais sans doute est-il vrai le mot de Lacordaire : « Il n'y a pas deux amours. » Le même soleil invisible nous ouvre à l'amour de l'homme et à l'amour de Dieu. Et c'est d'un même élan naïf que Marie Noël s'est portée vers l'un et vers l'autre. Ses premiers vers, ceux d'*Attente*, ne distinguent pas : ils présentent la riche ambiguïté du *Cantique des Cantiques* :

Demain, demain, quand l'Amour
Au brusque visage
S'abattra comme un vautour
Sur mon cœur sauvage,

« dans l'Amour si grand, si grand, je me perdrai toute », « je brûlerai vive », « je me noierai toute ». « Un aigle fou m'emportera dans le soleil. » Elle ne songeait alors qu'à l'amour humain. Mais les mêmes images, remarquons-le, devaient lui servir pour exprimer la proximité de Dieu. Peut-être a-t-elle très tôt pressenti son destin, et qu'elle ne trouverait qu'en Dieu la liberté dans l'amour.

Chèvre, tête indomptée, ô passant, si rétive
Que nul n'osera mettre un collier à son cou,
Que nul ne fermera sur elle son verrou,
Que nul, hormis la mort, ne la fera captive...

Cependant, elle continuait d'avancer vers l'Amour, mais les yeux bandés. Un jour ce fut la chute dans le « puits », dans « l'abîme ». Ce qu'*Attente* avait aussi prévu :

Mon cœur libre, ô mon seul bien
Au fond de ce gouffre,
Que serai-je? Un petit rien
Qui souffre, qui souffre!

« Mon cœur libre ! » Et il est vrai qu'elle eut d'abord peur de Dieu : peur de perdre, devant l'Être omniscient et nécessaire, sa liberté de pensée et d'être. Comment donner son cœur à une Justice sans cœur? L'Ordre abhorré, elle croyait le retrouver en Dieu, mais aggravé, mais éternisé. Il fallait que s'effaçât le « visage » trop humain qu'elle prêtait, que nous prêtons tous à Dieu. Et Dieu détourna ce visage. Résumant sa vie et s'adressant à Dieu, elle gémit :

Nul baiser, pas même rapide,
Ni tendresse, même un instant,
Nulle caresse en ces mains vides,
Hors la tienne de temps en temps.

Sevrée de tout, abandonnée entre ciel et terre, elle ne peut plus que tomber.

De quel côté tomberai-je? Dans le noir d'en-bas qui m'attire? Dans la lumière d'en-haut qui m'aspire?...
Je n'ose plus avancer ni reculer. Il faut que quelqu'un me tire de là. Je n'avancerai plus que quelqu'un ne me donne la main... Et tous mes pas seront dans la main de mon guide.

Ce guide, c'est Jésus-Christ, Dieu en chair et en peine comme nous, abandonné comme nous sur nos chemins terrestres, chez qui la tendresse divine s'accroît de tendresse humaine et qui n'accepte de nous qu'un amour libre.

Maintenant, Marie Noël n'a plus peur. Regardez-moi, semble-t-elle dire à tous les angoissés. Trop grand, Dieu vous effraie? Faites-vous, comme moi, tout petits.

De toi, dans ton noir Infini,
Je n'ai pas peur. J'ai fait mon nid
Dans le creux de ta main obscure.

Devant le mystère insondable de l'existence, vous reculez? Moi, je ferme les yeux. Je coule à pic. Et je ne crains plus l'abîme : je le contiens.

Je laisse, en m'endormant, couler mon cœur en Vous
Comme un vase tombé dans l'eau de la fontaine
Et que vous remplissez de Vous-même sans nous.

Rares sont les écrivains dont on peut dire qu'ils ont goûté à la mort et sont revenus parmi nous. On précisera plus tard à quel moment la voix de Marie Noël, au timbre toujours reconnaissable, a pourtant changé. Certains de ses vers ont maintenant, comme chez saint Jean de la Croix, une brièveté décantée, une austérité où la flamme a passé, une allégresse qui déjà vibre pour l'envol.

Ce moi-même si las, si lourd
Que j'avais la nuit et le jour, ...
Je l'ai par terre abandonné
Et je vire et je vole, gaie
Comme un papillon nouveau-né.

Rien n'ai, rien ne veux, rien ne suis.

De n'être plus, de n'être rien,
Je ris ! Et nul ne me retient
De rire à tous les vents, légère.
Plume sans nid, graine sans aire...

O Père, je ris d'être morte.

« Je ris. » Voilà qui est nouveau.

Marie Noël a toujours eu un fond de gaieté. Je ne l'ai pas assez dit ? Mais tant d'autres ont décrit sa grâce, sa malice gauloise, sa transparence ensoleillée ! On me pardonnera d'avoir insisté sur ce qui resta longtemps son « secret » : la peine et la victoire de l'amoureuse, l'épreuve et le rire final de la mystique. Me trompé-je ? L'accompagnement de notes graves ne donne pas seulement plus de volume au carillon noëlien, il fait que les notes joyeuses nous paraissent maintenant, par contraste, plus jubilantes encore et comme miraculeuses.

CHOIX DE TEXTES

S'en sont allés
Crever dans la Mer Noire,
S'en sont allés
Pleins de chagrins salés.
Maré, mari, marou,
Flouc!
Couli, coula, coulou,
Clouc!

Se ventre en l'air
Ont chu dans la Mer Morte,
Se ventre en l'air
Dans le bouillon d'Enfer
Maré, mari, marou
Flouc!
Couli, coula, Coulou,
Clouc!

Ces trois poissons,
Et tous les gars du monde,
Ces trois poissons.
Qu'ils servent de leçon.

Maurice [illegible]

Extrait de la *Complainte des Trois Poissons*,
manuscrit inédit

CONNAIS-MOI...

Connais-moi si tu peux, ô passant, connais-moi!
Je suis ce que tu crois et suis tout le contraire :
La poussière sans nom que ton pied foule à terre
Et l'étoile sans nom qui peut guider ta foi.

Je suis et ne suis pas telle qu'en apparence :
Calme comme un grand lac où reposent les cieux,
Si calme qu'en plongeant tout au fond de mes yeux,
Tu te verras en leur fidèle transparence...

— Si calme, ô voyageur... Et si folle pourtant!
Flamme errante, fétu, petite feuille morte
Qui court, danse, tournoie et que la vie emporte
Je ne sais où mêlée aux vains chemins du vent. —

Sauvage, repliée en ma blancheur craintive
Comme un cygne qui sort d'une île sur les eaux,
Un jour, et lentement à travers les roseaux
S'éloigne sans jamais approcher de la rive...

— Si doucement hardie, ô voyageur, pourtant!
Un confiant moineau qui vient se laisser prendre
Et dont tu sens, les doigts serrés pour mieux l'entendre,
Tout entier dans ta main le cœur chaud et battant. —

Forte comme en plein jour une armée en bataille
Qui lutte, saigne, râle et demeure debout;
Qui triomphe de tout, risque tout, souffre tout,
Silencieuse et haute ainsi qu'une muraille...

Faible comme un enfant parti pour l'inconnu
Qui s'avance à tâtons de blessure en blessure
Et qui parfois a tant besoin qu'on le rassure
Et qu'on lui donne un peu la main, le soir venu...

Ardente comme un vol d'alouette qui vibre
Dans le creux de la terre et qui monte au réveil,
Qui monte, monte, éperdument, jusqu'au soleil,
Bondissant, enflammé, téméraire, fou, libre!...

Et plus frileuse, plus, qu'un orphelin l'hiver
Qui tout autour des foyers clos s'attarde, rôde
Et désespérément cherche une place chaude
Pour s'y blottir longtemps sans bouger, sans voir clair...

Chèvre, tête indomptée, ô passant, si rétive
Que nul n'osera mettre un collier à son cou,
Que nul ne fermera sur elle son verrou,
Que nul hormis la mort ne la fera captive...

Et qui se donnera tout entière pour rien,
Pour l'amour de servir l'amour qui la dédaigne,
D'avoir un pauvre cœur qui mendie et qui craigne
Et de suivre partout son maître comme un chien...

Connais-moi! connais-moi! Ce que j'ai dit, le suis-je ?
Ce que j'ai dit est faux — Et pourtant c'était vrai! —
L'air que j'ai dans le cœur est-il triste ou bien gai ?
Connais-moi si tu peux. Le pourras-tu ?... Le puis-je ?...

Quand ma mère vanterait
A toi son voisin, son hôte,
Mes cent vertus à voix haute
Sans vergogne, sans arrêt;
Quand mon vieux curé qui baisse
Te raconterait tout bas
Ce que j'ai dit à confesse...
Tu ne me connaîtras pas.

O passant, quand tu verrais
Tous mes pleurs et tout mon rire,
Quand j'oserais tout te dire
Et quand tu m'écouterais,
Quand tu suivrais à mesure
Tous mes gestes, tous mes pas,
Par le trou de la serrure...
Tu ne me connaîtras pas!

Et quand passera mon âme
Devant ton âme un moment
Éclairée à la grand-flamme
Du suprême jugement,
Et quand Dieu comme un poème
La lira toute aux élus,
Tu ne sauras pas lors même
Ce qu'en ce monde je fus...

. . . .

Tu le sauras si rien qu'un seul instant tu m'aimes!

1908.

RONDE

Mon père me veut marier,
Sauvons-nous, sauvons-nous par les bois et la plaine.
Mon père me veut marier,
Petit oiseau, tout vif te lairas-tu lier ?

L'affaire est sûre : il a du bien.
Sauvons-nous, sauvons-nous, bouchons-nous les oreilles
L'affaire est sûre : il a du bien...
C'est un mari... courons, le meilleur ne vaut rien!

Quand il vaudrait son pesant d'or,
Qu'il est lourd, qu'il est lourd et que je suis légère!
Quand il vaudrait son pesant d'or,
Il aura beau courir, il ne m'a pas encor!

Malgré ses louis, ses écus,
Ses sacs de blé, ses sacs de noix, ses sacs de laine,
Malgré ses louis, ses écus,
Il ne m'aura jamais, ni pour moins, ni pour plus.

Qu'il achète s'il a de quoi,
Les bois, la mer, le ciel, les plaines, les montagnes,
Qu'il achète s'il a de quoi,
Le monde entier plutôt qu'un seul cheveu de moi!

Laissez-vous mettre à la raison
Et garder au clapier, hérissons, chats sauvages,
Laissez-vous mettre à la raison
Avant qu'un sot d'époux m'enferme en sa maison.

Engraissez-vous au potager,
Bruyères, houx, myrtils des bois, genêts des landes,
Engraissez-vous au potager
Avant qu'un sot d'époux ne me donne à manger.

Je suis l'alouette de Mai
Qui s'élance dans le matin à tire-d'aile,
Je suis l'alouette de Mai
Qui court après son cœur jusqu'au bout du ciel gai!

J'y volerai si haut, si haut,
Que les coqs, les dindons et toute la volaille,
— J'y volerai si haut, si haut, —
S'ils veulent m'attraper en seront pour leur saut.

Si haut, si haut dans la chaleur,
J'ai peur du ciel, j'ai peur, j'ai peur... les dieux sont proches
Si haut, si haut dans la chaleur,
Qu'un éclair tout à coup me brûlera le cœur.

Marie Noël et Raymond Escholier. Août 1957

Pages suivantes :

La maison de Marie Noël à Auxerre. 1959.

Intérieur du logis de Marie Noël : le corridor et les livres; au fond, la chambre.

ITALIEN
PALAIS

Marie Noël avec le maître, Paul Berthier,
après la première audition des *Chants Sauvages*, le 15 décembre 1948

(*Photo Phélipeaux.*)

Et, brusque, du désert vermeil,
Il vient, il vient, il vient!... Hui! l'alouette est prise!
Et, brusque, du désert vermeil,
Un aigle fou m'emportera dans le soleil.

CHANSON

Quand il est entré dans mon logis clos,
J'ourlais un drap lourd près de la fenêtre,
L'hiver dans les doigts, l'ombre sur le dos...
Sais-je depuis quand j'étais là sans être ?

Et je cousais, je cousais, je cousais...
— Mon cœur, qu'est-ce que tu faisais ?

Il m'a demandé des outils à nous.
Mes pieds ont couru, si vifs, dans la salle,
Qu'ils semblaient, — si gais, si légers, si doux, —
Deux petits oiseaux caressant la dalle.

De-ci, de-là, j'allais, j'allais, j'allais...
— Mon cœur, qu'est-ce que tu voulais ?

Il m'a demandé du beurre, du pain,
— Ma main en l'ouvrant caressait la huche —
Du cidre nouveau, j'allais et ma main
Caressait les bols, la table, la cruche.

Deux fois, dix fois, vingt fois je les touchais...
— Mon cœur, qu'est-ce que tu cherchais ?

Il m'a fait sur tout trente-six pourquoi
J'ai parlé de tout, des poules, des chèvres,
Du froid et du chaud, des gens, et ma voix
En sortant de moi caressait mes lèvres...

Et je causais, je causais, je causais...
— Mon cœur, qu'est-ce que tu disais ?

Quand il est parti, pour finir l'ourlet
Que j'avais laissé, je me suis assise...
L'aiguille chantait, l'aiguille volait,
Mes doigts caressaient notre toile bise...

Et je cousais, je cousais, je cousais...
— Mon cœur, qu'est-ce que tu faisais ?

VISION

QUAND j'approcherai de la fin du Temps,
Quand plus vite qu'août ne boit les étangs,
J'userai le fond de mes courts instants;

Quand les écoutant se tarir, en vain
J'en voudrai garder pour le lendemain,
Sans que Dieu le sache, un seul dans ma main;

Quand la terre ira se rétrécissant
Et que mon chemin déjà finissant
Courra sous mes pieds au dernier versant;

Quand sans reculer pour gagner un pas,
Quand sans m'arrêter, ni quand je suis las,
Ni dans mon sommeil, ni pour mes repas;

Quand, le cœur saisi d'épouvantement,
J'étendrai les mains vers un être aimant
Pour me retenir à son vêtement...

. . . .

Quand de jour en jour je perdrai la faim,
Je perdrai la force et que de ma main
Lasse de tenir tombera le pain;

Quand tout sur ma langue aura mauvais goût,
Quand tout dans mes yeux pâlira, quand tout
Me fera branler si je suis debout;

Quand mes doigts de tout se détacheront
Et que mes pensers hagards sous mon front
Se perdront sans cesse et se chercheront;

Quand sur les chemins, quand sur le plancher,
Mes pieds n'auront plus de joie à marcher;
Quand je n'irai plus en ville, au marché,

Ni dans mon pays toujours plus lointain,
Ni jusqu'à l'église au petit matin,
Ni dans mon quartier, ni dans mon jardin;

Quand je n'irai plus même en ma maison,
Quand je n'aurai plus pour seul horizon
Qu'au fond de mon lit toujours la cloison...

. . . .

Quand les voisines sur le pas
De la porte parleront bas,
Parleront et n'entreront pas;

Quand parents, amis, tour à tour,
Laissant leur logis chaque jour,
Dans le mien seront de retour;

Quand dès l'aube ils viendront me voir
Et sans rien faire que s'asseoir
Dans ma chambre attendront le soir;

Quand dans l'armoire où j'ai rangé
Mon linge blanc, un étranger
Cherchera de quoi me changer;

Quand pour le lait qu'il faut payer,
Quelqu'un prendra sans m'éveiller
Ma bourse sous mon oreiller;

Quand pour boire de loin en loin,
J'attendrai, n'en ayant plus soin,
Que quelqu'un songe à mon besoin...
. . . .
Quand le soleil et l'horizon
S'enfuiront... quand de la maison
Sortiront l'heure et la saison;

Quand la fenêtre sur la cour
S'éteindra... quand après le jour
S'éteindra la lampe à son tour;

Quand, sans pouvoir la rallumer,
Tous ceux que j'avais pour m'aimer
Laisseront la nuit m'enfermer;

Quand leurs voix, murmure indistinct,
M'abandonnant à mon destin,
S'évanouiront dans le lointain;

Quand cherchant en vain mon salut
Dans un son, je n'entendrai plus
Qu'au loin un silence confus;

Quand le froid entre mes draps chauds
Se glissera jusqu'à mes os
Et saisira mes pieds déchaux;

Quand mon souffle contre un poids sourd
Se débattra... restera court
Sans pouvoir soulever l'air lourd;

Quand la mort comme un assassin
Qui précipite son dessein
S'agenouillera sur mon sein;

Quand ses doigts presseront mon cou,
Quand de mon corps mon esprit fou
Jaillira sans savoir jusqu'où...

Alors, pour traverser la nuit, comme une femme
Emporte son enfant endormie, ô mon Dieu,
Tu me prendras, tu m'emporteras au milieu
Du ciel splendide en ta demeure où peu à peu
Le matin éternel réveillera mon âme.

LES CHANTS DE LA MERCI

CHANT DE LA DIVINE MERCI

Jusqu'à ce jour la Création tout entière gémit et souffre dans les douleurs de l'enfantement.

Paul, *Romains*, 8.

Mon Père est à l'œuvre jusqu'à ce jour et moi aussi je suis à l'œuvre.

Jean, v, 17.

Le Dieu qui créa la terre
Dans la nuit l'entend gémir.
Son enfant lui dit : « Mon Père,
Quand donc pourrons-nous dormir ?

Si le cri de votre ouvrage
Ne s'apaise pas un peu,
Je n'aurai pas le courage
D'être éternellement Dieu.

Père, ô Sagesse profonde
Et noire, Vous savez bien
A quoi sert le mal du monde,
Mais le monde n'en sait rien.

Il marche, il ignore... Il pleure...
Sais-je, moi-même ignorant,
En vous, Joie où je demeure,
Ce que l'homme va pleurant ?

Sais-je en quelle ombre, en quel doute,
Ses pieds le mènent ? Je pars,
Je veux passer par la route
De ces pauvres pieds épars.

Je veux, inclinant la tête,
Chercher à travers la Mort
— La Mort que vous avez faite —
Ce cri qu'il pousse si fort.

La Mort que vous avez faite
Sans la goûter et qu'en bas
L'homme sait, et que la bête
Sait, et que Dieu ne sait pas...

Retirez-moi la lumière,
Notre robe que j'avais.
Pour habiter la poussière
Humaine au vent je m'en vais.

Ma grandeur à votre droite,
Otez-la-moi, Père, afin
Que j'entre en la chair étroite
Où sont la soif et la faim.

A la source de mes veines,
Blessez-moi, pour qu'en leur sang
J'entende couler la peine
Qu'à l'âme il mêle en passant.

Puis abandonnez-moi comme
Un maudit, un condamné,
Un fils qui, dans l'ombre d'homme,
Hors de Vous a mal tourné.

Un fils plein de l'éternelle
Colère qui s'est enfui
De la maison paternelle,
Pour s'aller perdre de nuit,

S'aller perdre en sa folie
Avec les autres perdus,
Et devant Vous qu'il supplie,
Vous muet, mourir pendu.

Détournez votre visage.
Je pars. Je serai comme eux
Un pauvre en bas de passage
Qui boira l'eau dure, un gueux.

Je marcherai sans demeure,
Comme un homme qu'on attend,
D'heure en heure, seul, vers l'heure
Que la ténèbre leur tend.

Comme eux, une horreur farouche,
Hurlant dans la nuit sans bord,
Me sortira de la bouche
Quand j'avalerai la Mort.

Comme eux je saurai, victime
Prise un soir en leur péché,
Le tremblement de l'abîme
Qui dans leur moelle est caché.

Comme eux, sang que désespère
Le ciel fatal, à genoux,
Un soir, comme eux, Père, ô Père!
Un soir j'aurai peur de Vous!

Père... Ah! Jetez à la porte
Dans l'angoisse d'alentour
Ce fils d'homme! je n'emporte
Du fils de Dieu que l'amour.

Dieu grand, Dieu saint, Dieu sans faute,
Puisque Vous ne voulez pas
Qu'en marchant sur terre, j'ôte
Leur malheur à ceux d'en-bas;

Puisqu'il vous est nécessaire,
Pour votre travail de Dieu,
Comme à l'homme la misère
Du bois souffrant pour son feu;

La nuit de la créature,
Puisqu'il faut sans doute afin
De vous aider qu'elle dure,
Je lui donnerai la main.

La détresse de la terre,
Tant qu'il la faudra, mon Dieu,
Mêler à votre mystère,
Je lui baiserai les yeux.

Ah! faites, immense Père,
Faites vite, Père obscur,
Ce que Vous avez à faire,
Si vaste, si long, si dur!

Moi, je porte cette foule.
Je soutiendrai dans mes mains
Humaines d'où le sang coule,
Le poids de ces fronts humains.

Les affamés de ce monde,
Les faibles et leur langueur,
Viendront manger à la ronde
Le pain que j'ai dans le cœur.

Et pendant que je les mène
Se refaire en mon amour,
Ils apercevront leur peine
Qui devient ciel alentour.

Et pendant qu'en moi je serre
Ces errants que j'ai trouvés,
Ils verront dans leur misère
Un royaume se lever.

Et pendant que je les aime
A mourir pour eux de mort,
Ils se diront que Vous-même
Les aimez malgré leur sort.

Que s'ils souffrent, si je souffre
Avec eux si tendrement,
C'est que Vous dans votre gouffre
Ne pouvez faire autrement.

Et les pauvres pleins de peine,
Fermant les yeux dans mon cœur,
Attendront là l'incertaine
Bonté de votre labeur.

Les pauvres gens sans science,
Se confiant au ciel noir,
Mêleront leur patience
A votre œuvre sans la voir.

Et tant qu'ô main paternelle,
Dans l'ombre vous n'aurez pas
Fini la chose éternelle,
Je les tiendrai dans mes bras,

Dans mes bras grands ouverts d'homme
Crucifié, mais pendant
Que leur douleur et moi sommes
Sous la charge haletants,

Tenez vos portes ouvertes,
Pour que je ramène ici
Ces pauvres âmes désertes
Et ces pauvres corps transis,

Préparez la grand-lumière,
Préparez le feu, la paix,
Pour que sitôt la dernière
Sueur versée, à jamais,

Tous ensemble, eux, moi, Vous, comme
Des frères au même lieu,
Ils se reposent d'être homme,
Et nous, Père, d'être Dieu.

Marie Noël

POÈME DU LAIT

ÈVE

Bois, mon petit, à ma poitrine qui coule.
Je suis ta source — Bois! — ta tiède fontaine,
Bois ce doux lait qui coule en ta gorge pleine
Avec un bruit de colombe qui roucoule.

Pose ta joue à la place la plus tendre
De ma chair. Mords-moi de ta petite bouche.
Du bout de mon sein mol je tente, je touche
Ta lèvre qui se trompe autour... Viens le prendre!

Bois, mon petit avide, emplis ta faiblesse
De moi qui me penche et qui te suis versée.
Capte ce lait chaud de m'avoir traversée
Au bourgeon de la mamelle... Ah! tu me blesses!

La savais-je la douceur d'être blessée,
Ouverte et saignant comme une orange vive
Qui fond en miel et n'est plus sous la gencive,
Plus rien qu'une joie à la gorge laissée ?

Adam! Adam! la douceur d'être mangée,
Qui la savait ? Qui savait le cher supplice
D'être la gorgée émouvante qui glisse
Et m'entraîne toute en mon petit changée ?

La douceur de mourir, la tendre aventure
De me perdre sans yeux ni route, en allée
Dans le noir de toi qui m'attendais, mêlée
Aux chemins naissants de ta force future!

Mourir... m'évader de cette solitude,
De ce moi qui tient ma richesse captive
Pour te rejoindre, ô soif qui cherche, l'eau vive,
Et calmer à ton besoin ma plénitude...

Bois. Jusqu'à tes os je ruisselle et j'écoute
Quand le lait heureux chemine en toi, cher être,
Un peu de moi dans tes veines disparaître,
Un peu de moi qui devient toi goutte à goutte.

J'écoute. J'entends dans ma gorge profonde
Que la clarté du lait qui sourd illumine,
Ne parle pas, Adam! Adam! je devine
Où passait la joie en s'en venant au monde.

LE ROSAIRE DES JOIES

ANNONCIATION

L'ange entra où elle était.
Luc, I, 28.

La Vierge Marie est dans sa maison.
Son petit jardin par la porte ouverte
Respire. Une abeille entre. La saison
Qui vient de très loin n'est pas encor verte.

L'air joue au soleil avec un fétu.
Je me suis assise à ton seuil, Marie,
Sur la marche tiède... O ma sœur, sais-tu
Si la fleur de Pâque est tantôt fleurie ?

. . . .

La Vierge Marie est penchée au bord
De son cœur profond comme une fontaine
Et joint ses deux mains pour garder plus fort
Le ciel jaillissant dont elle est trop pleine.

Marie, ô ma sœur, écoute... Est-ce pas
Midi qui s'approche? Est-il temps que j'aille
Dénicher les œufs avant le repas
De ton vieil époux qui non loin travaille ?

Faut-il puiser l'eau, préparer le feu ?...
J'attends. Le matin sur mes mains sommeille.
J'ai peur de bouger, sœur, j'attends un peu
Que le doux moment endormi s'éveille.

J'attends... Je ne sais... Le poids du Printemps
Encore engourdi pèse à mes épaules.
Les bourgeons font mal aux pommiers. J'attends
Qu'il ait appelé les chatons des saules.

. . . .

La Vierge Marie a fermé les yeux
Et voilé son cœur de ses deux paupières
Pour ne plus rien voir, pour entendre mieux
Un souffle qui fait trembler ses prières...

Un frisson le long du petit jardin
A couru... Qui vient? La feuille nouvelle ?
Qui passe ?... Un oiseau sort du ciel. Soudain,
La graine des champs les sent partir d'elle.

Le vent sur le toit vient de rencontrer
Dessus un oiseau que l'azur apporte.
Qui vole ?... Le ciel a poussé la porte,
La porte a chanté, un Ange est entré.

Un Ange a parlé tout bas dans la chambre.
Toi seule, ô Marie, entends ce qu'il dit.
Toi seule dans l'ombre et le Paradis.
Il a semé Dieu tout grand dans tes membres.

Je ne l'ai pas vu. Mais en s'en allant
— J'étais sur le pas ému de la porte —
Il a laissé choir dans mon cœur tremblant
Un grain murmurant du Verbe qu'il porte.

Il a fait tomber à la place en moi
La plus ignorée et la plus profonde
Un mot où palpite on ne sait pas quoi,
Un mot dans mon sein pour le mettre au monde.

Ah! comment un mot sortira-t-il bien
De moi que voilà qui suis peu savante?
Mais le Saint-Esprit — je suis sa servante —
S'il veut qu'il me naisse y mettra du sien.

. . . .

La Vierge Marie est dans son bonheur.
La Vierge Marie est là qui se noie
Dans le miel de Dieu. L'épine est en fleur
Autour du jardin, autour de ma joie.

Il y a dans toi, Vierge, un petit Roi,
Ton petit enfant, un Dieu! Trois ensemble!
Et nul ne s'en doute. Il y a dans moi
Un petit oiseau dont le duvet tremble.

Un oiseau secret qui bat étourdi
Dans le creux où j'ai l'âme la plus douce
Et déjà j'entends son aile qui pousse...
Midi! le repas! Rien n'est prêt... Midi!

Joseph va rentrer et ma mère crie...
Où mets-tu le bois ? Je souffle le feu.
— L'Ange aurait bien dû nous aider un peu —
Voici l'eau, le pain... Hâtons-nous, Marie!

Marie Noël

CHANT DE LA VIERGE MARIE

MARIE

Je me hâte, je prépare,
Car nous entrons en Avent,
Je me hâte, je prépare
Le trousseau de mon enfant.

Joseph a taillé du hêtre
Pour sa couchette de bois;

LES ANGES

Les Juifs tailleront du hêtre
Pour lui dresser une croix.

MARIE

J'ai fait de beaux points d'épine
Sur son petit bonnet rond;

LES ANGES

Nous avons tressé l'épine
En couronne pour son front.

MARIE

J'ai là des drapeaux de toile
Pour l'emmailloter au sec;

LES ANGES

Nous avons un drap de toile
Pour l'ensevelir avec.

MARIE

Un manteau de laine rouge
Pour qu'il ait bien chaud dehors;

LES ANGES

Une robe de sang rouge
Pour lui couvrir tout le corps.

MARIE

Pour ses mains, ses pieds si tendres,
Des gants, des petits chaussons;

LES ANGES

Pour ses mains, ses pieds si tendres,
Quatre clous, quatre poinçons.

MARIE

La plus douce des éponges
Pour laver son corps si pur;

LES ANGES

La plus dure des éponges
Pour l'abreuver de vin sur.

MARIE

La cuiller qui tourne, tourne,
Dans sa soupe sur le feu;

LES ANGES

La lance qui tourne, tourne,
Dans son cœur. Un rude épieu.

MARIE

Et, pour lui donner à boire,
Le lait tiède de mon sein;

LES ANGES

Et, pour lui donner à boire,
Le fiel prêt pour l'assassin.

MARIE

Au bout de l'Avent nous sommes,
Tout est prêt, il peut venir...

LES ANGES

Tout est prêt, tu peux venir,
O Jésus, sauver les hommes.

1911

Marie Noël

CHANDELEUR

Les gens et leur destin
S'en vont tenant un cierge,
Les gens et leur destin
Dans le petit matin,

S'en vont menant dehors
La flamme dans la cire,
S'en vont menant dehors
Leur âme dans leur corps.

Les gens du genre humain,
— Où commence la route ? —
Les gens du genre humain
Tournent sur le chemin.

Tournent autour de Dieu,
Leur chandelle allumée,
Tournent autour de Dieu
Qui regarde au milieu.
. . . .

La mère va devant
Avec son sacrifice,
La mère va devant
Qui présente l'enfant.

Elle apporte le fruit
De sa chair matinale,
Elle apporte le fruit
De sa douleur de nuit.

Le père a dans la main
Le poids de son offrande,
Le père a dans la main
Le prix d'un peu de pain.

La vieille qui n'a rien
Que le petit des autres,
La vieille qui n'a rien
Le leur prend et le tient.

Le vieux las et branlant
Dont le pas s'ensommeille,
Le vieux las et branlant
L'accompagne en tremblant.

A Dieu qui ne peut pas
Sans l'homme faire d'homme,
A Dieu qui ne peut pas,
Ils portent dans leurs bras

Le sang qu'ils ont donné,
L'œuvre de leur poussière,
Le sang qu'ils ont donné,
Le fils qui leur est né.

Portent l'enfant en fleur
Qui sera courte joie,
Portent l'enfant en fleur
Qui sera grand-douleur.

L'enfant qu'il faut nourrir
Pour le conduire vivre,
L'enfant qu'il faut nourrir
Pour le mener mourir.

. . . .

Les gens sur le chemin
— Le jour y voit à peine —
Les gens sur le chemin
Tournent, le cierge en main,

Et lentement s'en vont
A Dieu — La flamme tremble —
Et lentement s'en vont
A Dieu. La cire fond.

Ils passent devant Lui
— Un cierge, puis un cierge —
Ils passent devant Lui
Tout le long d'aujourd'hui.

Et Dieu, prêtre éternel
De la cérémonie,
Et Dieu, prêtre éternel
Qui descend de l'autel,

Leur reprenant des mains
La flamme avec la cire,
Leur reprenant des mains
Leurs cierges pour demain.

Dieu, dans le faible jour,
Par le vent de sa bouche,
Dieu, dans le faible jour,
Les éteint tour à tour.

Et nul ne sait plus où,
Quand Dieu les a soufflées,
Et nul ne sait plus où
Les âmes sont allées.

CHANTS ET PSAUMES D'AUTOMNE

CHANT D'UNE NUIT D'ÉTÉ

Le soir de la Saint-Jean,
A la minuit dorée,
Dans le bonheur des champs,
Je me suis égarée.

Dans le pré le plus fol
J'ai rencontré l'Année.
Le chant du rossignol
A minuit l'a menée.

De chèvrefeuille blond
La tête couronnée,
L'Année aux cheveux longs,
De lune environnée...

Le Roi de l'An parti
Pour sa grand-chevauchée,
Le Soleil du midi
Tout le jour l'a cherchée.

Voici le soir d'amour,
La belle s'est levée...
Le Roi qui fait le tour
Du monde l'a trouvée.

« Arrête, ô mon cheval!
J'ai ma route oubliée...
Voici ma mie au val,
Ma belle mariée. »

Le Roi sous la douceur
Du saule l'a baisée.
Il prend son doigt en fleur
Dans l'anneau d'épousée.

La nuit de la Saint-Jean,
A la minuit passée,
Sous le saule d'argent
Il la tient embrassée.

. . . .

Mais au bout de la nuit
— Quels pleurs m'ont appelée ? —
J'entends la nuit qui fuit,
J'entends l'heure écoulée,

Et le trot du cheval,
Qu'emporte la journée,
Et le frisson du val,
Et l'herbe abandonnée,

Et la douceur des mois
Jour à jour en allée,
Et la douleur des voix
D'automne inconsolées...

J'entends l'amant qui part,
J'entends pâlir l'Année,
Ses fols cheveux épars,
Sa couronne fanée...

« Soleil, ô mon époux,
Toute à vous enlacée,
Le temps qui tourne en vous
Hors de vous m'a chassée!...

— Que faites-vous, ma mie ?
— Hors de vous je m'en vais.

— Où courez-vous, ma mie?
— Me perdre au temps mauvais.

— Qui vous conduit, ma mie ?
— Le vent qui ne sait où.

— Que cherchez-vous, ma mie ?
— Un lieu sans moi ni vous.

— Qu'attendez-vous, ma mie?...
— Votre cœur un instant
Pour y quitter ma vie,
Pour vous pleurer dedans.

Un instant sous le saule,
Le plus long, le plus court,
Au creux de votre épaule,
Pour y mourir toujours. »

Promenade sous la pluie

(Ph. A

Marie Noël

CHANSON

A Denise.

M'EN allant par la bruyère
— Buisson rouge, buisson blanc —
Pour cueillir la fleur dernière
Qui pousse au milieu du vent.
Buisson rouge, buisson jaune, buissons au loin buissonnant.

Passant vers la clématite
— Le rouge-gorge est dedans —
J'ai rencontré la nourrice
Qui mène au bois ses enfants.
Buisson rouge, buisson jaune, buissons au loin buissonnant.

Les trois plus beaux vont derrière,
Les trois plus gais vont devant,
Mais la petite dernière
Traîne le pied en marchant.
Buisson rouge, buisson jaune, buissons au loin buissonnant.

Passant par le champ de trèfle
— Ses frères sont loin du champ —
Elle baisse un peu la tête,
Elle s'arrête en pleurant.
Buisson rouge, buisson jaune, buissons au loin buissonnant.

« Viens-t'en, ma petite rose,
Ma mie, avec moi viens-t'en.
Nous rattraperons les autres
A travers les pays grands.
Buisson rouge, buisson jaune, buissons au loin buissonnant.

« Donne-moi ta main sauvage
Qui tient une fleur au vent;
Donne-moi ton doux visage
Et ton joli cœur battant.
Buisson rouge, buisson jaune, buissons au loin buissonnant.

« Donne-moi ton cœur qui tremble
Avec son chagrin dedans;
Nous le porterons ensemble
Sous mon grand manteau flottant.
Buisson rouge, buisson jaune, buissons au loin buissonnant.

« Et j'endormirai ta peine
Le long des bois en chantant.
Ta peine d'aujourd'hui même
Et celles des autres temps.
Buisson rouge, buisson jaune, buissons au loin buissonnant.

« La plus vive, la plus folle
Qui sort du monde au printemps
Et celle qui vient d'automne
Pour faire mourir les champs.
Buisson rouge, buisson jaune, buissons au loin buissonnant.

ÉCOLIÈRE

Le petit Jésus
S'en va-t-à l'école,
En portant sa croix
Dessus son épaule...

C'EST une pauvre petite peine
Qui revient de l'école, ce soir,
A l'heure où le chemin se traîne,
Où le fond des bois est tout noir.

Elle est allée en classe apprendre
A souffrir grand, à souffrir droit,
Comme Notre-Seigneur en croix,
Mais elle n'a pas su s'y prendre.

C'est l'heure où l'ombre sort du buisson,
Où le vent qui bouge effraye un saule...
Elle n'a pas su sa leçon
Et pleure, sa croix sur l'épaule.

Marie Noël

CHANT DANS LE VENT

A Yves-Gérard Le Dantec.

LE vent emporte au loin sa fille qui pleure,
Le vent va la cacher loin dans son pays,
Le vent que la terre et le ciel ont trahi
Fuit sans terre ni ciel, fuit vers sa demeure.

Il fuit parmi les collines effrayées,
Par les blés tourmentés, les seigles... Il fuit...
En vain la petite église agenouillée
Sur les chaumes se voue à prier pour lui.

Il fuit les prés, l'étang, la lande, il s'enfonce
Dans la grande mélancolie au long soir
Où nul n'est entré derrière les bois noirs,
Où se perd l'écho sans donner de réponse.

Il fuit où ne sait plus personne. C'est là,
Quelque part dans une angoisse qu'il traverse,
C'est là que tout bas, plaintivement, il berce
Sa fille qui va mourir du mal qu'elle a.

C'est là que d'une haleine pas entendue,
Il caresse, il chante avec un cri fermé,
Il endort à mi-voix sa fille perdue
Dont le chagrin jamais ne sera calmé.

. . . .

Mais voici des chasseurs entre les feuillages.
Pour chercher le nid du vent ils sont partis.
Ils sont montés haut sur le plateau sauvage
Où meurt le sentier qui n'a plus de petits.

Ils veulent aller prendre en la solitude
Le secret du pays âpre, mais le vent
Farouche, le vent, de toutes ses mains rudes,
Leur barre l'espace autour de son enfant.

Il oppose à leur marche ses mains hurlantes,
Il retourne leur route, il dresse contre eux
Un mur désespéré d'ailes violentes,
Part, au loin s'appelle et revient plus nombreux.

Il pousse les bois sur eux, il fonce, crie,
Leur jette aux yeux les ifs, les buissons de houx,
Il refoule avec les branches en furie
Leurs aventureux visages à grands coups.

Et leur chemin aveugle perd pied, chavire...
Le vent fuit... Il emporte à travers le temps
Sa fille dans son manteau qui se déchire,
Sa Douleur chérie où le soir pleure tant.

Il fuit, épars, il fuit... Nul ne le retrouve,
Nul n'arrive jamais au nid qu'il défend,
Où loin de la terre et loin du ciel il couve
Sous un soupir la longue mort de son enfant.

. . . .

O Vent pâle, grand vent de mon pays triste,
Veux-tu pas en pleurant m'aller perdre aussi
Comme un petit oiseau sans nom qui n'existe
Que très peu dans un silence loin d'ici ?

Veux-tu pas m'aller cacher ? Je suis en fuite.
Je chantais dans un bois noir, mais le sentier
Des chasseurs s'est mis soudain à ma poursuite.
Ils prétendent me voir le cœur tout entier.

Ils veulent s'emparer du nid de mon âme.
Mais nul ne le trouvera — peut-être un seul —
Ils entendront la pie en l'air qui réclame
Beaucoup de place autour de tous les tilleuls.

Ils s'égaieront par là de chansons et d'autres,
Mais nul n'atteindra le lointain battement
De celle qui n'a pas de frère, la nôtre,
Celle douce entre les douces tristement.

Celle qui tremble trop pour être entendue,
Si tendre qu'un seul, qui ce soir remuerait
Le feuillage où palpitante elle s'est tue,
D'un regard, d'un seul à peine, la tuerait.

. . . .

C'est ma petite fille qu'on m'a brisée,
Que le sanglot du vent me rapporte ici,
Celle qui n'est ce soir jamais apaisée
Et qu'en vain je calme en mon cœur obscurci.

Ah! ne laisse plus personne approcher d'elle,
Vent sauvage! Attends qu'elle ait un peu dormi.
Plus personne... Entoure-la de sombres ailes...
Plus personne, ô vent, surtout pas un ami.

Ne laisse plus personne rompre ce somme
Où se plaint tant d'ombre, où tant de rêve a peur...
Ah! plus un ami surtout! Rien n'est lourd comme
Le pas trop léger d'un ami sur le cœur.

Chasse tous les chemins hors de sa détresse,
Et le ciel, et les nuages, mais son ami,
Lui si doux... écarte-le d'une caresse
Qui loin, loin, repousse... et retient à demi.

Prends-le dans ton souffle et l'implore, et l'entraîne
Par les pays grands pour qu'il ne passe plus,
Plus jamais sur le seuil où j'endors la peine
De ma fille en pleurs qui n'a pas de salut.

Où, pauvre nourrice vaine, je murmure
Sur mon enfant que rien ne peut plus guérir
Un air à voix lasse, entrecoupée, obscure,
Pour aider le temps long qu'elle passe à mourir.

1925.

Marie Noël

CHANT AU BORD DE LA RIVIÈRE

LA rivière qui n'est jamais finie,
Qui coule et ne reviendra jamais,
L'eau sans retour ni pardon m'a punie
Mais je ne sais pas ce que j'ai fait.

J'avais dans les mains, j'avais un cœur d'homme
— Je ne savais pas que je l'avais —
Léger sur mes doigts comme un souffle, comme
Un brin tiède et fol de duvet.

Comment si tard en mes mains sauvages,
Si prompt, si doux, avait-il volé ?
Et ces mains au vent, ces mains que ravage
L'automne, au vent l'ont laissé aller...

La rivière qui fuit dès qu'elle arrive,
Pleine sans fin d'amour offensé,
Sans fin repousse et chasse la rive
Où ma grand'faute aura commencé.

Tout le long de l'eau je cherche ma faute
Pour pleurer dessus et la laver,
Mais tout le long de l'eau l'herbe est si haute
Que je ne peux pas la retrouver.

Ce cœur en mes mains volant, ce cri tendre,
Où l'ai-je égaré ? Je l'aimais tant
Que je n'osais pas tout à fait le prendre
Ni le toucher qu'à peine en chantant.

Que j'avais peur de me dire un mensonge,
De le croire à moi, de l'éveiller
En le serrant trop, comme un cœur de songe
Qui n'est pas sûr et va s'effeuiller.

Je ne le tenais par un fil qu'à peine...
Un fil... Le vent l'a peut-être usé?
Peut-être en tremblant de joie incertaine
Est-ce en tremblant que je l'ai brisé ?

Que je l'ai perdu ce cœur mien, pareille
A celle, ô Dieu! qui fait un faux pas
Et laisse tomber un soir sa merveille
Son fils unique en l'eau qui s'en va,

En l'eau qui fuit, fuit, sans vouloir entendre,
L'eau que nul cri ne peut rappeler,
Et l'eau qui court, court, pour ne jamais rendre
Le flot où s'est l'amour en allé...

Je cours le long de l'eau toute l'année
    Pour la rattraper... Le temps se tait.
Le ciel ne dit rien... Je suis retournée
    Jusque dans l'homme où ce cœur était.

Mais je n'ai rien vu qu'un homme rapide
    Qui s'éloignait en pressant le pas,
Un homme, un absent, où mon nom est vide
    Et dont la voix ne me connaît pas.

La rivière qui n'est jamais finie,
    Qui passe et ne reviendra jamais,
L'eau qui fuit pour toujours, l'eau m'a punie...
    Ah! pour toujours, hier, qu'ai-je fait ?

JUGEMENT

III

Accusation

Je m'accuse, ô mon Dieu, mais éloignez de nous,
Tandis que je renverse en Vous ma tête vaine,
Ou couvrez à deux mains de pénombre sereine
Mes petits frères endormis sur vos genoux.

Car j'accuse aujourd'hui ma prière — ces yeux
Vers Vous levés plus haut qu'un grand arbre à sa pointe —
De n'avoir été rien qu'une lutte aux mains jointes,
Une bataille d'ailes noires et de cieux

Car moi qui ne sais pas rendre aux hommes leurs coups
— Et me blesse qui veut, et qui voudra me tue —
Moi qui suis lâche, ô mon Dieu, je me suis battue
Avec un seul, le seul qui soit au monde : Vous.

Et Vous avez été ma guerre sans merci.
— Me battre avec un autre était-il nécessaire? —
Et Vous avez été mon unique adversaire.
— Quel autre que Vous seul est digne de souci?

Et Vous avez été le combat où j'allais,
Le risque ténébreux que j'ai couru sans armes.
J'avais les yeux encor pleins d'enfantines larmes,
J'avais la bouche encor pleine de votre lait.

J'étais petite fille et suivais à genoux
La trace de vos pas adorés sur la terre...
Je m'accuse! Au tournant d'un sentier solitaire,
Je me suis rencontrée avec l'horreur de Vous.

Je suis tombée en l'ombre éternelle d'où sort
De derrière vos mains la male heure éternelle.
En vain ai-je tenté, pâle, battant des ailes,
De gagner l'Arbre où Dieu, notre semblable, est mort.

En vain ai-je crié vers lui, l'Homme au-dessus
Des hommes, qui passait et sauvait au passage,
Et me suis-je réfugiée en ce visage
Que Vous aviez au temps où rayonnait Jésus,

Personne n'était Vous, ni chair, ni sang, ni voix,
Ni regard, ni pitié dans le vide, personne!
Et je me suis perdue, et je crie et frissonne
Sans pouvoir retrouver l'étoile qui Vous voit.

Je vague abandonnée à la terreur des cieux.
Je m'accuse... J'ai dans l'âme une place impie,
Un lieu vertigineux où je suis poursuivie
Dans une arrière-nuit par un arrière-Dieu;

Un gouffre sans naissance au fond toujours ailleurs,
D'où souffle, par-dessous les époques profondes,
Quelqu'un sourd et muet qui met le Mal au monde
Et qui peut-être est Vous... ou ne l'est pas, Seigneur.

Qui est-ce ?... O Dieu, mon Père! O Bon plus que les bons,
Ah! je m'accuse! Il m'a fallu, pour Vous défendre,
Lutter de tous mes os aveugles sans me rendre,
Contre Celui de Vous qui n'a ni traits, ni nom,

Contre Celui de Vous qui n'est pas mon Sauveur,
Mais l'Autre dont la loi cerne, désole, navre
La chair humaine et qu'aperçoivent les cadavres
De leurs yeux entrouverts comme des puits de peur.

Et j'ai fait cette guerre à Vous le Sans-Amour,
Pour Vous, ô seul Amour qui m'êtes nécessaire,
Plus que le Paradis et qu'étreint ma misère
De pauvre homme entre ses mains de chaque jour.

Je l'ai faite et m'accuse en cet étroit combat
De Vous serrer en vain entre mes deux mains dures
Pour Vous rapetisser jusqu'à votre figure,
O Dieu trop grand, trop noir, que je ne connais pas.

Je m'accuse... Entendez à minuit l'oraison
Terrible où je me bats avec ce Dieu sans gîte
Pour le faire rentrer dans l'église petite
Comme un homme ivre qu'on ramène à sa maison.

Entendez et voyez le vaincu que je suis
Oublié sur un champ de défaite éternelle,
Le front sans connaissance et le cœur sans nouvelles
D'où la miséricorde inconsolable a fui.

Entendez. A vos pieds où s'éteint ma lumière
Comme un cierge trop frêle au vent des vents détruit,
Je crie, ô Vérité, ma faute la première
Et dernière, le mal dont je me meurs : la Nuit.

Défense

Père, c'est vrai. Souvent, la nuit,
Quand je ne sais plus où je suis,
Plus où tu es, à la male heure
De l'abîme, je vague, pleure
Et nul jamais ne m'entendra,
Mais le jour à peine m'effleure
Que je m'éveille entre tes bras.

O mon Père, j'ai peur du jour,
J'ai peur de l'homme tout autour
Et même de la femme. O Père,
Je n'ose en route ni n'espère

Rien que fuir et sauver mon cœur
Du monde où siffle une vipère,
Mais de toi seul je n'ai pas peur.

De toi, dans ton noir Infini,
Je n'ai pas peur. J'ai fait mon nid
Dans le creux de ta main obscure.
Et tu te couvres la figure
D'une ombre par pitié de moi
Pour m'abriter, tant elle est dure,
De la grand'lumière de toi.

Je n'ai pas peur. Ce que tu veux,
Du mal même — si le mal peut —
Fais-le de moi qui me repose
Confiante dans ta main close,
Fais de moi le pauvre ou le mort
Que tu crois ta meilleure chose :
Dans ta main divine, je dors.

O Père, je suis ton petit.
De toi pour naître je sortis
Et j'y reviens pour fuir ensemble
Toutes les fois qu'ailleurs je tremble
Et même au temps du pire effroi,
Quand aux ténèbres tu ressembles,
Quel père ai-je ô mon Père? Toi!

CHANTS D'ARRIÈRE-SAISON

CRÉPUSCULE

L'HEURE viendra... l'heure vient... elle est venue
Où je serai l'étrangère en ma maison,
Où j'aurai sous le front une ombre inconnue
Qui cache ma raison aux autres raisons.

Ils diront que j'ai perdu ma lumière
Parce que je vois ce que nul œil n'atteint :
La lueur d'avant mon aube la première
Et d'après mon soir le dernier qui s'éteint.

Ils diront que j'ai perdu ma présence
Parce qu'attentive aux présages épars
Qui m'appellent de derrière ma naissance,
J'entends s'ouvrir les demeures d'autre part.

Ils diront que ma bouche devient folle
Et que les mots n'y savent plus ce qu'ils font
Parce qu'au bord du jour pâle, mes paroles
Sortent d'un silence insolite et profond.

Ils diront que je retombe au bas âge
Qui n'a pas encore appris la vérité
Des ans clairs et leur sagesse de passage,
Parce que je retourne à l'Éternité.

LA MORTE ET SES MAINS TRISTES...

LA Morte et ses mains tristes
Arrive au Paradis.

« D'où reviens-tu, ma fille,
Si pâle en plein midi ?

— Je reviens de la terre
Où j'avais un pays,

De la saison nouvelle
Où j'avais un ami.

Il m'a donné trois roses
Mais jamais un épi.

Avant la fleur déclose,
Avant le blé mûri,

Hier il m'a trahie.
J'en suis morte aujourd'hui.

— Ne pleure plus, ma fille
Le temps en est fini.

Nous enverrons sur terre
Un ange en ton pays,

Quérir ton ami traître,
Le ramener ici.

— N'en faites rien, mon Père
La terre laissez-lui.

Sa belle y est plus belle
Que belle je ne suis,

Las! et faudra, s'il pleure
Sans elle jour et nuit

Que de nouveau je meure
D'en avoir trop souci. »

Marie Noël

MARCHE DU CŒUR MORT

Alors la Reine éclata de rire.
(Tristan et Yseult.)

On est venu dire à la Reine
Qui dans sa chambre attend le sort,
On est venu dire à la Reine :
Le Cœur de votre amour est mort.

Ce Cœur si beau, ce Cœur si doux
Qu'hier aviez rempli de vous,
Qu'avez-vous fait ? Ce Cœur chéri,
Qu'avez-vous fait ? Il est péri.

Qu'avez-vous fait ? Qu'avez-vous fait ?
Il vous priait, il vous aimait...
Lui, votre eau vive, il est tari.
Pleurez-le. Mais la Reine a ri.

« Jamais je ne le pleurerai,
Sur mon visage il a trop lui.
Jamais je ne l'enterrerai,
La terre est trop noire pour lui.

Arrière l'ombre et le tombeau!
Je marcherai jusqu'au plus beau,
Sur terre, de tous les beaux temps
Et j'irai le perdre dedans. »

Alors, le Cœur entre les mains,
Elle a pris le plus beau chemin,
Sur terre, du plus bel été...
Quelqu'un marchait à ses côtés.

Quelqu'un... Peut-être, pas à pas,
Un étranger?... Peut-être pas?...
Comme au convoi celui qui suit.
Un étranger... peut-être lui...

Elle a marché sous le soleil
Jusqu'au bout de monde vermeil
Devant elle — la Reine a ri —
Les lauriers-roses ont fleuri.

Elle a passé le flot qui dort
Et traversé les villes d'or.
Elle est arrivée à midi
Sur la rive qui resplendit.

A midi, l'heure sans pitié,
La Mer s'est jetée à ses pieds
Comme un gouffre qui vient de loin
Et d'un autre gouffre a besoin.

La Mer qui clame sans abri,
De loin, comme un immense cri,
La Mer sans lit, la Mer sans lieu,
Béante sous l'azur des cieux.

Alors, se mettant à genoux
— « Seigneur, ayez pitié de nous! » —
La Reine a longuement béni
Ce Cœur où l'aimer est fini,

Ce Cœur — Ayez pitié mon Dieu! —
Et son irréparable adieu.
Ce Cœur fier, ce Cœur sans retour
Et son irréparable amour.

Puis, sur ses paumes, élevant
Haut dans l'azur, haut dans le vent
Ce Cœur si beau, ce Cœur si cher,
L'a laissé tomber dans la Mer...

...Or, se retournant, l'étranger
Qui près d'elle avait voyagé
Dans le grand beau temps sans souci,
A vu qu'elle était morte aussi.

MARTHE ET MARIE

MARTHE, l'aînée, a vécu tant,
Trimé si dur et si longtemps
Qu'elle a perdu jambes et bras
Et gît oisive entre les draps.

« As-tu préparé le repas,
Marie ?... Et reprisé les bas ?
Que fais-tu que je n'entends pas ?
— Je fais ma prière tout bas.

— Va, laisse là tes oraisons,
Va mettre en ordre la maison,
Va donner du grain aux oisons...
— Ma sœur, ils en ont à foison. »

Marthe, la vieille aux reins dolents,
Repose sur l'oreiller blanc,
L'œil et l'oreille vigilants...
L'heure est vide, le jour est lent.

« Qui frappe à la porte, ce soir ?
— Le médecin qui vient te voir.
—Ouvre-lui, vite, et va quérir
L'onguent qu'il faut pour me guérir. »

. . . .

« Qui frappe à la porte, ce soir ?
— Le notaire qui vient te voir.
— Apporte l'encre promptement
Et je ferai mon testament. »

. . . .

« Qui frappe à la porte ce soir ?
— C'est le Bon Dieu qui vient me voir.
— Dis-Lui que tu fais ton devoir
Et ne peux pas Le recevoir.

Dis-Lui que c'est le samedi
Du grand ouvrage. Au Bon Dieu, dis
Qu'il s'en retourne au Paradis
Jusqu'à dimanche après-midi. »

« Seigneur, hélas! allez-vous-en.
Je tiens le ménage à présent.
Allez-vous-en, mais pas trop loin
Pour de ma peine être témoin...

— Viens Marie! Ah! depuis sept ans
Je t'appelle et tu ne m'entends!
— Je viens, mais laisse-moi le temps
De pleurer un petit instant. »

CHANSON D'HAUVIETTE LA LORRAINE

OU

CHANSON DES ON-DIT

Au joli temps jadis
Quand nous étions jeunettes
Nous nous aimions Jeannette,
Au joli temps jadis...
Mais un jour tu partis.

Depuis lors on a dit
De toi maintes nouvelles,
Des rudes et des belles,
Et chaque jour, ces dits,
Moi je les attendis.

Un soldat nous a dit,
Racontant la victoire
D'Orléans sur la Loire,
Qu'un Archange, il l'a dit,
Avec toi combattit.

Ton frère nous a dit,
Revenant de Champagne,
— Ta mère l'accompagne —
Ton frère nous a dit
Qu'à Reims il se rendit.

Il t'a vue — il l'a dit —
Près du Roi, notre Sire,
Face au peuple en délire
Il en est — il l'a dit —
Resté tout interdit.

Mais un gueux nous a dit,
Remontant de Bourgogne,
Que son duc sans vergogne
— Hélas! il nous l'a dit —
A l'Anglais te vendit.

Deux moines nous ont dit,
Quêtant de porte en porte,
Que, tenant tête forte
Aux saints Juges, tu dis
Blasphèmes et mentis.

Ces deux-là nous ont dit
Sans me le faire accroire,
— Foin des deux robes noires! —
Que tes voix — ils l'ont dit —
Furent voix du Maudit.

Un marchand nous a dit,
Vendant par la Lorraine
Draps et bures de laine
— Le jour qu'il nous l'a dit,
Pleurante l'entendis! —

Un marchand nous a dit
Qu'à Rouen la Normande
Devant la foule grande,
Ils t'ont — il nous l'a dit —
Brûlée un vendredi.

Ils ont — il nous l'a dit —
Jeté dans la rivière
Ton cœur plein de prières,
Ce marchand nous l'a dit,
De tout bien averti.

Mais tantôt nous ont dit
Plus haut qu'à la criée
— Or, j'étais mariée —
Trois chanteurs nous ont dit
— J'avais homme et petits —

Trois sonneurs nous ont dit,
Sonnant la délivrance,
Que de terre de France
— A tous cieux ils l'ont dit —
Les Anglais sont sortis.

Et depuis à moi dit
Un Ange quand je prie,
Qu'avec Jésus, Marie,
Jeanne, tu resplendis
Dans le haut Paradis.

Alors viendra la Fin...
Matthieu, xxiv, 14.

Voici que je fais toutes choses nouvelles.
Apocalypse, xxi, 5.

Quand un soir sur nous, quand arriveront
Les jaunes fourmis, jaunes par nuées,
Quand seront les airs lourds de leur ruée,
Nous boirons, un soir, tous assis en rond.

Nous tiendrons encor la fleur, nous tiendrons
La douceur encor de notre veillée
Quand fleur et douceur seront balayées
Par un souffle énorme, implacable et prompt.

Nous n'aurons plus sol ni ciel, nous n'aurons
Plus frères, ni sœurs, ni maris, ni femmes,
Ni mères. En vain nos corps à nos âmes
Demanderont l'heure et ne la sauront.

Or, les chiens errants en vain chercheront
En vain pour le suivre homme qui soit homme.
Les chevaux de trait, les bêtes de somme
De champs en champs morts à mort marcheront.

Long sera le cri quand nous partirons,
Les cieux en colère à notre poursuite.
Dieu seul, s'Il le veut, comptera nos fuites.
Sans main dans la main nous nous en irons.

Sans pays aux pieds nous traverserons
Les lieux sans merci. Les anges hostiles
Qui chassent notre Ere, au for de la Ville
S'il reste un berceau, le renverseront.

Les Grands Maux chargés de Fin verseront
A nos derniers yeux le plein de leur coupe...
Alors sur nos siècles rasés, les troupes
Pesamment, d'aube en aurore passeront...
. . . .
Puis les Temps sans nous recommenceront...

1960.

SANS REPOS

MON corps las en dormant a réchauffé mon lit...
Ma fatigue d'hier est restée en mes membres
Et mon maître déjà, le matin de décembre,
M'appelle dans la rue où la rumeur grandit.

Dresse tes os, debout. Lève-toi, debout femme!...
Mais est-ce bien la peine, ô Dieu, d'avoir une âme?

Cours balayer la ville et les faubourgs avant
Que le riche en habit de gala n'y circule.
Abandonne à l'hiver, laisse en plein crépuscule,
Ta maison engourdie et tes petits rêvant.

Le temps court, cours aussi, cours après lui, cours femme
Mais est-ce bien la peine, ô Dieu, d'avoir une âme?

Huit heures, cours laver à la rivière où l'eau
Attend sous un glaçon tes poignets pour les mordre,
Le linge qu'ont sali les autres, va le tordre,
Râpe afin qu'il soit blanc sa crasse avec ta peau.

Frotte, les jours sont courts, le pain cher, frotte femme!
Mais est-ce bien la peine, ô Dieu, d'avoir une âme ?

Les jours sont courts, ô femme et ton logis est loin.
Midi... cherche la croûte en ta poche cachée,
Vite, donne à ta chair de pauvre la bouchée
Dont pour s'user à gagner l'autre elle a besoin.

Mange ton pain, ton pain te mange, mange ô femme.
Mais est-ce bien la peine, ô Dieu, d'avoir une âme?

Le temps s'amuse en ville, en fête, il s'est perdu...
Et te voilà toujours à genoux sur la berge.
Et l'eau cingle toujours tes doigts à coups de verge...
Quelle heure est-il ? O soir, ô soir béni, viens-tu ?

Encore une heure, une heure encore, encore femme...
Mais est-ce bien la peine, ô Dieu, d'avoir une âme

Le soir est là... va-t'en, grêle sous les draps lourds
Dans le brouillard avec ton fardeau de gelée,
Va-t-en pliée en deux, vite, et cache à l'onglée
Sous ton tablier roide en marchant tes poings gourds.

Marche vite, il fait froid, il fait noir, marche femme...
Mais est-ce bien la peine, ô Dieu, d'avoir une âme ?

Rentre vite, tes gars aux pierres du chemin
Ont déchiré leurs bas, et leur veste à la haie.
Prends du fil, une aiguille et sans étoffe essaye
De boucher tous les trous ou presque avant demain.

Il est tard, hâte-toi, travaille, hâte-toi femme...
Mais est-ce bien la peine, ô Dieu, d'avoir une âme ?

Veille... Avant chaque point, lutte, quand tout se tait,
Pour rouvrir tes yeux las, avec le poids du somme,
Lutte en silence au lieu de rejoindre ton homme
Jusqu'au jour dans le lit qui n'a pas été fait.

Encore un point, un point encore, encore femme...
Mais est-ce bien la peine, ô Dieu, d'avoir une âme?

Ah! le temps du repos quand viendra-t-il ? Le temps
O mon homme de nous aimer tout à notre aise ?
Le temps, ô mes petits, de m'asseoir sur ma chaise
Pour vous bercer sur mes genoux quelques instants ?...

Encore un point, un point encore, encore femme.
Mais est-ce bien la peine, ô Dieu, d'avoir une âme ?

Quand viendra-t-il le temps de m'arrêter ? Le temps
De regarder parfois dans mon cœur le visage
Des pauvres morts ? Le temps d'y re-suivre au passage
Mes chemins d'écolière à travers le printemps ?

Encore un point, un point encore... encore femme...
Mais est-ce bien la peine, ô Dieu, d'avoir une âme ?

Ah! le temps de bercer un tout petit espoir
Dans mon âme comme un enfant qui vient de naître.
Quand viendra-t-il le temps d'attendre à la fenêtre
Quelque bonne nouvelle en marche dans le soir ?

Encore un point, un point encore... encore femme...
Mais est-ce bien la peine, ô Dieu, d'avoir une âme ?

Ah! le temps du repos quand viendra-t-il enfin ?
Le jour me pousse vers la nuit de tâche en tâche.
Et la nuit vers le jour me pousse sans relâche.
Et le jour sans pitié me poussera demain.

Encore un jour, un jour encore... encore femme...
Mais est-ce bien la peine, ô Dieu, d'avoir une âme ?

Ah! le temps du repos quand viendra-t-il ? là-bas
Au fond d'un lit de terre avec un drap de neige...
Dans la terre glacée ou bien au ciel ? Que sais-je ?
Je ne sais rien... Ai-je le temps ?... Je ne sais pas.

Sans repos, sans espoir, use ta vie ô femme...
Mais est-ce bien la peine, ô Dieu, d'avoir une âme ?

1913.

L'ŒUVRE DU SIXIÈME JOUR

racontée par Stop-chien à ses petits frères

Dès que le Chien fut créé, il lécha la main du Bon Dieu et le Bon Dieu le flatta sur la tête :

« Que veux-tu, Chien ?

— Seigneur Bon Dieu, je voudrais loger chez toi, au ciel, sur le paillasson devant la porte.

— Bien sûr que non! dit le Bon Dieu. Je n'ai pas besoin de chien puisque je n'ai pas encore créé les voleurs.

— Quand les créeras-tu, Seigneur ?

— Jamais. Je suis fatigué. Voilà cinq jours que je travaille, il est temps que je me repose. Te voilà fait, toi, Chien, ma meilleure créature, mon chef-d'œuvre. Mieux vaut m'en tenir là. Il n'est pas bon qu'un artiste se surmène au-delà de son inspiration. Si je continuais à créer, je serais bien capable de rater mon affaire. Va, Chien! Va vite t'installer sur la terre. Va et sois heureux. »

Le Chien poussa un profond soupir :

« Que ferais-je sur la terre, Seigneur ?

— Tu mangeras, tu boiras, tu croîtras et multiplieras. »

Le Chien soupira plus tristement encore.

« Que te faut-il de plus ?

— Toi, Seigneur mon Maître! Ne pourrais-tu pas, Toi aussi, t'installer sur la terre ?

— Non! dit le Bon Dieu, non, Chien! je t'assure. Je ne peux pas du tout m'installer sur la terre pour te tenir compagnie. J'ai bien d'autres chats à fouetter. Ce ciel, ces anges, ces étoiles, je t'assure, c'est tout un tracas. »

Alors le Chien baissa la tête et commença à s'en aller. Mais il revint :

« Ah! si seulement, Seigneur Bon Dieu, si seulement il y avait là-bas une espèce de maître dans ton genre ?

— Non, dit le Bon Dieu, il n'y en a pas. »

Le Chien se fit tout petit, tout bas et supplia plus près encore :

« Si tu voulais, Seigneur Bon Dieu... Tu pourrais toujours essayer...

— Impossible, dit le Bon Dieu. J'ai fait ce que j'ai fait. Mon œuvre est achevée. Jamais je ne créerai un être meilleur que toi. Si j'en créais un autre aujourd'hui, je le sens dans ma main droite, celui-là serait raté.

— O Seigneur Bon Dieu, dit le Chien, ça ne fait rien qu'il soit raté pourvu que je puisse le suivre partout où il va et me coucher devant lui quand il s'arrête. »

Alors le Bon Dieu fut émerveillé d'avoir créé une créature si bonne et il dit au chien :

« Va! qu'il soit fait selon ton cœur. »

Et, rentrant dans son atelier, Il créa l'homme.

. . . .

N. B. — L'Homme est raté, naturellement. Le Bon Dieu l'avait bien dit.

Mais le Chien est joliment content!

(*Contes.*)

DANS LA CHAMBRE ARRIVAIENT LES JOURS...

DANS la chambre arrivaient les Jours. Tous les matins, il en venait un qui ne ressemblait jamais à celui de la veille, et, quand il devait être joyeux et beau, on le savait d'avance en le voyant glisser avec son soleil entre les fentes des persiennes. Puis Maman ouvrait les volets et le Jardin matinal entrait comme une surprise. Tantôt il était gris et grave, tantôt bleu; tantôt tout trempé et pleurant, tantôt clair, rieur et vif, nous appelant pour jouer comme un camarade.

Mais le plus merveilleux qui vint fut un jour d'hiver. Ce jour-là, comme d'habitude, Maman ouvrit la fenêtre sur le Jardin... Il n'y avait plus de Jardin!

Quelqu'un l'avait changé pendant la nuit en extraordinaire pays sans allées, lisse et beau comme une nappe blanche où personne, jamais, n'avait marché. Il était plein d'oiseaux noirs et gris, les corbeaux de la Cathédrale et d'autres plus petits qui voletaient et dont les pattes laissaient sur la blancheur des signes.

Les branches de l'if, du cerisier, de l'abricotier, de tous les arbustes autour pendaient lourdement, chargées de neige. Entre les branches étaient suspendus des ponts, des grottes, des châteaux où s'ouvraient des salles éblouissantes mais si étroites que les moineaux eux-mêmes étaient trop gros pour y loger. Mais je m'inventais, moi, plus petite qu'eux et j'entrais.

J'entrais, je voyais des salles, des trônes, des lustres étincelants, des galeries qui s'en allaient à perte de vue dans la demeure des Reines cachées et où, peut-être, si je pouvais les suivre assez loin dans le secret de la neige, je rencontrerais la Fée qui avait, pendant la nuit, fait disparaître le Jardin.

(*Petit-Jour.*)

LE CHAMP PERDU

La nourrice prit sa faucille et partit avec moi.

Nous descendîmes, par le Crot, la route qui mène à Précy, nous prîmes un chemin à gauche. Où allait-il ? Où allions-nous ?

Ce fut dans un champ caché, oublié de tout le monde où nous n'avions jamais fait les foins, ni la moisson, ni même jamais mené les vaches. Il était là tout seul, sans rien faire. Il nous attendait depuis longtemps, enfermé par ses buissons, et plein de fougères hautes que la Nourrice commença de couper avec sa faucille.

Il se faisait tard déjà. Le soleil avait presque fini sa journée et se retirait du champ peu à peu, sans rien dire. Et je ne sais comment, dans le rayon de soleil qui demeura le dernier, lentement un oiseau passa, et l'heure qui se trouvait là fut tout à coup si pleine de bonheur et en même temps de tristesse que j'eus envie de pleurer. Le Bonheur, qui n'est nulle part, un instant fut là, dans ce champ et, aujourd'hui encore, je le sais, j'en suis sûre. Il fut là et s'en alla. Je ne l'ai plus jamais revu. Et en vain tentai-je plus tard de reprendre le même chemin, aucun sentier jamais ne me ramena au champ sans nom. Pourtant il existe encore. Il ne peut pas ne plus être là où par hasard il fut. La Nourrice est morte, le petit frère est mort, je serai morte tout à l'heure, mais, à Usy, le champ existe avec son soleil du soir, son oiseau, ses fougères et peut-être, dans bien longtemps — des années et des années —, une enfant viendra en septembre, une craintive petite fille de huit ans, et retrouvera, l'espace d'une minute, le Bonheur au champ perdu.

(*Petit-Jour.*)

LES CHANSONS

Dans la Maison, dès le commencement, je connus les Chansons. Jeanne, Maman, Grand-Mère chantaient. Il y avait de petites chansons qui sautillaient, toutes contentes, et d'autres lentes, longues, qui traînaient et vous enveloppaient à voix douce pour vous fermer les yeux et vous mener dormir. Mais les Chansons vraies étaient des chagrins.

Celles-là — on ne sait pas d'où — survenaient à l'improviste et la voix qui les chantait n'en avait pas connaissance. Moi seule les entendais venir. Elles avaient traversé des pays immenses. Elles n'avaient pas de paroles — ou si peu que ce n'est rien — mais un air qui cherchait quelque chose en pleurant. Peut-être elles avaient, un soir, quitté leur maison chérie — qui était aussi la mienne — où nous ne pourrions plus retourner jamais parce que, depuis longtemps le chemin était perdu... une maison très loin derrière nous, où des mères abandonnées m'attendaient pour m'aimer sans me voir revenir.

Ces chansons, qu'avaient-elles fait ? Elles s'en allaient, condamnées, toutes seules, toutes pâles, vers un malheur. Et nul jamais, homme ni femme, ne nous rejoindrait... jamais... elles et moi, pour nous faire grâce. Elles chantaient leur malheur d'avance... la Mort ?... Peut-être la Mort... tous les chagrins sont la Mort... La Mort qui n'était pas celle du « P'tit Cabinet », qui n'était pas un hideux spectre, qui n'était rien qu'on pût dire, mais, plus profond que tous les autres, un cri, un cri désespéré, que personne n'apaiserait, personne!

Ces Chansons — un air, un mal, un cri, une longue plainte — autrement, que disaient-elles ? Presque rien. Des mots à peine. C'était l'air, l'air si triste, qui disait tout.

Celle de Jeanne, le plus souvent était une mère « au cimetière », loin de ses petits enfants battus par une femme affreuse. Maman entonnait parfois : *Il faut partir*... et Grand-Mère : *Pars, mon enfant, adieu*! ou *Partez donc, Madeleine*... Partir... Tout se brisait dans partir... J'éclatais en sanglots.

Maman avait fini par reconnaître quels airs me perçaient brusquement comme un couteau dans la poitrine et elle ne les chantait que rarement, quand il y avait là des amis et qu'elle voulait leur montrer quelle singulière petite fille triste je pouvais bien être. Alors, quand je fus un peu grande, je me cachais sous la table et je serrais un pied de table de toutes mes forces pour empêcher mon chagrin de sortir et de me faire honte.

Mais Grand-Mère, elle, quand elle chantait et voyait le malheur me saisir au visage, se précipitait en toute hâte sur

Cinq sous! cinq sous!
Pour monter notre ménage!

qui me ramenait d'un saut à une place consolée.

Qu'avaient donc en eux ces airs en détresse, ces airs pleins de destinée qui m'entraînaient à ma perte, loin, très loin, hors d'aujourd'hui, hors de la vie sûre ?

Qu'avait donc en elle, deux ou trois ans plus tard, la gamme de *la* mineur que Mlle Oberti, pour la première fois, me faisait apprendre ? J'ignorais où, sous mes doigts, montant, hésitant, trébuchant de note en note, elle allait enfin me conduire quand, au faîte de sa montée, elle atteignit le *sol* dièse et là, désolée me brisa le cœur. Je fondis en larmes.

La pauvre Oberti, qui ne m'avait pas grondée, s'empressa pour me consoler, très ennuyée et inquiète comme si une maladie obscure, cachée à l'intérieur de moi, s'était tout à coup déclarée pendant que j'étais assise, bien sage, sur le tabouret. Comment eût-elle pu deviner que la gamme de *la* mineur m'avait, touchant au *sol* dièse, un instant menée mourir ? Elle était habituée aux gammes et les croyait toutes pareilles, pas plus malheureuses les unes que les autres.

. . . .

Je n'ai pas guéri des Chansons, sur leurs chemins d'avant le monde d'où elles m'auront tant rappelée... Je ne suis pas encore venue... Elles vont se taire... mais je viens...

(*Petit-Jour.*)

Je n'ai pas envie d'être parfaite comme l'homme parfait est parfait. Je n'ai pas envie d'entretenir en moi cette conscience policière qui épie tous les sentiers pour saisir le péché qui passe. Je n'ai pas envie de prendre cette sacrée fatigue qui, nuit et jour, mesure, ajuste, taille, rogne, rabote, reboute, pour tirer de l'arbre noueux — l'arbre vivant — une juste planche de cercueil.

Je voudrais être parfaite comme le Père est parfait. En Lui est la Loi, mais en Lui, le Jeu. Son œuvre est Séraphin, mais papillon aussi. Elle est cieux, étoiles, obéissance d'astres, mais aussi, feu, vent et caprices des nuages.

Il s'amuse à des fleurs. Il a inventé pour rire (si ce n'est pas pour rire, pour quoi est-ce ?) les queues d'écureuil, les plumes de paon, les pattes de cigogne, les trompes d'éléphant, les bosses de chameaux et de dromadaires. Et s'Il trouve du plaisir — peut-être — à ce qu'un saint moine tenté se donne, de nuit, la discipline, Il bénit aussi d'un sourire le chevreau qui danse, la poule qui pond et le bouc à la longue barbe qui court sus à sa biquette.

Je voudrais que mon âme aussi — et mon œuvre aussi — fût ordre et fût fantaisie.

(*Notes intimes.*)

Comme je suis contente que Dieu ne soit pas un Saint!

Si un Saint avait créé le monde, il aurait créé la colombe, il n'aurait pas créé le serpent.

Il aurait créé la colombe ?... Il ne l'aurait pas créée « mâle et femelle », il n'aurait pas osé créer l'Amour, il n'aurait pas osé créer le Printemps qui trouble toute chair au monde.

Et toutes les fleurs auraient été blanches.

Dieu soit loué! Dieu en a fait de toutes les couleurs. Dieu n'est pas un Saint. Dans son œuvre hardie, Il ne s'est pas soucié des disciplines et de l'édification des Saints et s'Il était homme au lieu d'être Dieu, Il aurait encouru la censure des Saints... j'entends Bossuet : « Otez ce parfum qui damne, ôtez cette fleur... »

Pourtant, Vous êtes Saint, ô mon Dieu, Saint qui sanctifiez le Saint, mais vous êtes aussi Créateur qui fécondez l'Artiste. Autre est la grâce de l'Artiste, autre est la grâce du Saint et pourtant elles sont la même : le don de Vous, ô mon Dieu, de Vous si grand que partent de Vous et mènent à Vous ces voies de sainteté et de beauté qui, semble-t-il, s'opposent.

Et c'est votre grandeur qui me rassure et m'empêche de trembler quand les Saints me troublent en réduisant tous les chemins à leur seule route.

Ne crains pas. Sois parfaite de ton mieux, ô mon âme; non comme tel ou tel homme est parfait, mais comme toi-même dois l'être, selon toi-même.

Toutes les perfections sont en Dieu : la leur, la tienne. Monte par ton chemin à toi, monte!

(*Notes intimes.*)

Marie Noël

LA RUE SANS JOIE

C'est, dans la Ville future, une rue où se croisent et s'entrecroisent les multiples câbles de la science humaine, une rue sans ciel, emprisonnée dans le jour fumeux au ras des toits; une rue exactement laborieuse et ordonnée qui tourne et retourne sans cesse sur elle-même, vaquant dans un lieu sans espace à des besognes sans lumière, le long de semaines sans dimanche. Les dimanches eux-mêmes y sont captifs, jours à l'aile coupée.

Tant de labeur, à quoi bon ? Sans fruit que de faire durer et s'étendre à l'infini la ville enchaînée.

La ville est prospère, sans doute, on y mange. Mais les maisons n'y sont pas heureuses. Elles n'ont pas le droit d'avoir chacune sa lampe, ses gens autour, sa petite joie intérieure à elle, à elle seule.

La Joie vit d'air libre. La Joie a besoin de respirer. Dans cette rue, la Joie mourra, est morte déjà, étouffée.

La Joie est pour chacun dans sa chose unique, dans ce don de soi-même à soi-même que, malgré toute fraternité, nul ne reçoit d'autrui.

Elle est pour chacun à cette merveilleuse place ingouvernée, insoumise de l'âme, où joue, à sa manière toute neuve, un petit enfant désobéissant, sans s'occuper de ce que font autour de lui les grandes personnes bien ordonnées qu'ont remontées et mises en marche une quantité d'ingénieurs et de contremaîtres — groupes, sociétés, syndicats — elles sont là toutes ensemble à obéir, dans cette rue, à travailler pareil, à gagner pareil, à coucher pareil, à penser, aimer, haïr, chanter, crier pareil, vêtues de couleurs pareilles.

Qui sauvera maintenant sa chose unique ?

Qui sauvera maintenant son petit enfant désobéissant et l'emportera au grand air sans rue ?

Voici venir le temps où seuls seront gais les moucherons, les oisillons et les chatons.

Les fourmis ne le sont pas. Ni les abeilles — qui a jamais vu s'amuser les abeilles, esclaves de leur cité jusque dans le cœur d'une rose ? — Et ne parlons pas des termites!

Sauver la désobéissance...

(Notes intimes.)

Marie Noël

LA PREMIÈRE DANSE

Entrez dans la Danse,
Voyez comme on danse.

Au commencement était le Chaos. « La terre informe et vide » (Qui avait créé le Chaos ?).

« Et l'Esprit de Dieu se mouvait sur l'abîme. »

... se mouvait...
Dieu se mouvait
Dieu dansait.

Dieu, dans sa joie de Dieu, dansait.

Au commencement fut cette Joie de Dieu, cet Amour, cette Danse, ce Rythme.

Et ce Rythme était si fort que le Chaos s'ébranla, l'informe chercha figure, les atomes se prirent à danser aussi.

Entrez dans la Danse,
Voyez comme on danse.

Et selon le branle de Dieu, obéissant à l'ordre ardent de sa musique, ils se sont rangés, assemblés, composés, mis en ordre, en harmonie; ils ont construit des figures, des formes, des êtres; ils sont devenus lumière, astres, terres, animaux, homme...

Ainsi Dieu créa le ciel et la terre.

Dieu danse.

Et toujours se perpétue, se propage, se déploie le grand Rythme du commencement qui ordonne, compose et s'appelle Vie éternelle.

L'Ennemi est celui qui brise le Rythme (et toute faute est un faux mouvement, un faux pas), l'Ennemi est celui qui divise, dés-accorde, dés-assemble, dé-forme, dé-compose, qui défait et détruit les corps et les mondes et les rejette au dés-ordre du Chaos.

L'Ennemi est celui qui « dé-crée ».

Son nom dans l'abîme est HAINE.

(Notes intimes.)

Marie Noël

ENTERREMENT DE PREMIÈRE CLASSE

Auxerre, décembre 1936.

LE Mort recevait pour la dernière fois en grande cérémonie. Les invités allaient le saluer, l'un après l'autre à l'entrée de sa maison et revenaient attendre dans le jardin brumeux qu'il sortît devant eux pour aller à la messe.

C'étaient pour la plupart des gens considérables, comme l'avait été le Mort, et ils formaient, dans les allées, des groupes distingués que les autres gens du commun regardaient à distance : manteaux et pardessus de la meilleure coupe, fourrures de prix, chapeaux « chic », chaussures fines, uniformes haut gradés, galons d'or, rubans, rosettes... On se nommait à voix basse le député, le conseiller général, le colonel, le directeur de la Banque, le grand industriel, le grand chirurgien, toute la haute société en grande tenue.

Parfois quelque personnage toussait, éternuait, se mouchait discrètement. Il faisait un froid patient et morne. Les faces étaient blêmes, jaunes, rouges, violacées. Chacun, sous son bel habit, avait apporté et dissimulait bravement son infirmité ou sa maladie. Sous le pardessus décoré, il y avait une cystite, sous le manteau d'astrakan, un eczéma secret. Les toquets de velours, les feutres de prix coiffaient une anémie cérébrale, ou une surdité, ou une sclérose. Là voisinaient, sans se le dire, les rhumatismes, la gravelle, une hernie, deux ou trois asthmes, quelque vilain petit ulcère, un cancer naissant, un poumon gâté, une artère prête à se rompre, toute une assemblée de tout jeunes ou plus avancés commencements de morts, mais aucun ne trahissait sa présence par le moindre signe et les habits et visages de cérémonie se comportaient sur eux avec une suprême correction, en habits et visages de gens importants qui n'ont jamais entendu ni laissé parler — non jamais, vraiment! — de déchéances humaines.

Importants, ces gens causaient. Ils parlaient d'autres choses, leurs choses importantes. Il se fit un silence. Le Mort sortait.

Lui aussi avait grand air et tenait soigneusement enfermées sa silencieuse immondice et la dégradation totale de sa chair. Avec son magnifique cercueil neuf et reluisant, ses draperies de velours, ses broderies d'argent, il se présentait avec une extrême dignité au milieu des serviteurs galonnés qui s'empressaient autour de lui et le mettaient en voiture.

Quand ils l'eurent tout couvert de fleurs, entre ses amis décorés, majestueusement, il partit.

Et derrière lui, en grande tenue, d'un pas cérémonieux et grave, toutes les maladies et décrépitudes suivirent.

(*Notes intimes.*)

Marie Noël

SUR LE CONFLIT DU DÉVOT ET DE L'ARTISTE

En réponse à une enquête.

CONFLIT ? Pour moi, il n'y en a pas. Simplement une obéissance. L'obéissance profonde de l'abeille au miel.

L'abeille, quand elle va au miel, quand elle mesure, dessine, construit son gâteau de cire, les fleurs, quand elles travaillent aveuglément à la forme et à la couleur de leurs corolles, l'herbe, quand elle fait du vert, la cerise, quand elle fait du rouge, obéissent à une loi d'ordre et de beauté qui est en elles, pour elles, Volonté de Dieu.

— Et l'artiste, l'écrivain qui élaborent des proportions, des rythmes, des images, des êtres selon leur modèle intérieur, obéissent de même à ce Dieu-Beauté et observent des disciplines informulées qui n'ont rien à voir avec les règles de la religion ou de la morale, mais qui ordonnent, mais qui obligent et sont tout autant de commandements que « vendredi, chair ne mangeras ».

Si le lilas, pour se donner, comme vous dites, « tout à Dieu », se dépouillait de son parfum parce que son directeur, Bossuet, lui a dit que c'était un commencement de péché, il pourrait y avoir une grande joie dans les confessionnaux et cloîtres de fleurs, à cause de ce renoncement du lilas, mais peut-être le

Père éternel serait-il offensé de ce manquement à son ouvrage.

Le directeur du lilas n'est pas Bossuet, ni nul autre moraliste. Le directeur du lilas est le Père.

Et, au fond, la question que vous posez monte très haut. Ce n'est pas tant une question morale qu'un problème métaphysique. Le tout est de savoir au juste ce qu'est Dieu.

S'Il n'est qu'un sur-prêtre, un sur-moine, il n'y a plus pour lui plaire qu'à dépouiller le vieil homme (et tous les autres hommes), à perdre le goût du pain, disparaître dans un cloître et s'indigner même, comme Saint Bernard, quand les bénédictins embellissent leurs églises.

S'Il est simplement le Créateur du ciel et de la terre, où il y a des colombes, mais aussi des serpents — il reste à chacun de faire de son mieux ce qu'il a à faire, une figure sans défaut et pure s'il est cristal de roche, une fleur naïve, s'il est pâquerette, compliquée s'il est iris, et de suivre en soi la seule règle :

« Soyez parfaits comme le Père est parfait. »

Le « conflit » vient après, quand il s'agit de distribuer au prochain le fruit de l'arbre, le fruit de l'œuvre. Il y a un fruit défendu même dans le Paradis. Tout n'est pas bon à tous.

(Dès qu'il y a prochain, il y a *morale.*)

Tout n'est pas bon à tous.

La digitale prépare en elle un cordial magnifique et terrible qui peut ranimer les mourants ou tuer les gens en bonne vie. La digitale ne doit pas, ne peut pas n'être pas digitale et n'a rien à faire qu'à être parfaitement digitale, parfaitement remède et poison. Mais quand on la donne à boire, il faut suivre l'ordonnance et compter les gouttes.

(Notes intimes.)

Marie Noël

Si j'étais plante, je ne voudrais pas être de ces plantes utiles qui ont trop affaire à l'homme. Ni avoine, ni blé, ni orge parqués, sans pouvoir en sortir dans un champ en règle — et on ne laisse même pas aux blés leurs bleuets pour se distraire — ni surtout ces légumes soumis et rangés, ces carottes alignées, ces haricots qu'on dirige à la baguette, ces salades qu'on force à pâlir en leur serrant le cœur quand il fait si beau alentour et qu'elles voudraient bien être grandes ouvertes.

J'accepterais encore d'être herbe à tisane, serpolet ou mauve, ou sauge, pourvu que ce fût dans un de ces hauts battus des vents où ne vont les cueillir que les bergers. Mais j'aimerais mieux être bruyère, gentiane bleue, ajonc, chardon au besoin, sur une lande abandonnée, ou même un champignon pas vénéneux, mais pas non plus trop comestible qui naît dans la mousse, un matin, au creux le plus noir du bois, qui devient rose sans qu'on le voie et meurt tout seul le lendemain sans que personne s'en mêle.

Et si j'étais animal, je ne voudrais pas être bête de maison ou de ferme, pas même la chèvre qu'on attache au piquet et qu'on rentre dans une étable pour la traire, ni une de ces poules dans la basse-cour, toutes mêlées aux marchés de l'homme et qui peuvent se dire l'une à l'autre quand elles ont pondu un œuf : « C'est quinze sous que j'ai fait là et je vaux dix francs la livre »... Non! Non! J'aimerais mieux être lièvre, ou renard, ou biche, ou rossignol qui ne rencontrent l'homme jamais que le jour où il les tue.

Et j'aurai été toute ma vie animal des plus domestiques, bête de somme, chien attaché, serin en cage. Ou légume à faire la soupe. C'était la volonté de Dieu.

(*Notes intimes.*)

D'AUCUNS s'étonnent de mon chant sombre à cause de mes jeux gais et de mes candides allégresses.

N'ont-ils jamais contemplé le miracle de la Rose de Noël ?

La Rose de Noël triste et sans fleur toute l'année.

La Rose de Noël qui s'appelle Ellébore — Mélancolie — et serre dans sa racine un poison noir.

Mais quand vient la Noël, par une grâce de Dieu, elle sort du gris de l'hiver et des feuilles sombres comme autant de petites bougies allumées. Et de sa blancheur merveilleuse elle éclaire le berceau de l'Enfant Jésus.

Je suis ainsi, noire, et, parfois, lumineuse par grâce.

Et j'ai un nom qui le dit bien :

MARIE NOËL

MARIE (mara) l'amertume mortelle de ma racine.

NOËL, mon miracle, ma fleur de joie.

(*Notes intimes.*)

BIBLIOGRAPHIE

I. — Œuvres de Marie Noël

1920 *Les Chansons et les Heures*, parues chez Sansot (à compte d'auteur); reprises la même année par Chiberre; 2e édition chez Chiberre en 1922; reprises par Crès en 1928 et par Stock en 1935. Édition de luxe chez Lubineau en 1958.

1928 *Noël de l'Avent*. Paroles et musique chez Staub, à Auxerre; réédition en 1938; repris par la Procure du Clergé, à Paris, en 1953.

1930 *Chants de la Merci*, chez Crès; repris par Stock en 1939.

1930 *Le Rosaire des Joies*, chez Crès; réédition en 1933; nouvelle édition chez Stock en 1937.

1933 *Berceuse de la Mère-Dieu*. Paroles et musique chez Sénart; reprise par la Procure du Clergé, à Paris, en 1953.

1933 *La Complainte des trois Poissons*. Paroles et musique chez Sénart; puis, en 1958, chez Bourrelier, Paris.

Cantiques de Pâques. Paroles et musique harmonisées à 4 voix par Paul Berthier; repris en 1958 par la Procure du Clergé, à Paris.

1936 *Chants sauvages*. Paroles et musique. Édition Micro, à Paris; réédition par le Consortium musical, Paris, en 1946 et 1958.

1945 *Contes*, chez Stock en 1946, réédition, augmentée du *Voyage de Noël*. La même année, édition au Canada. En 1950, édition en allemand.

1946 *Litanies de la Semaine.* Paroles et musique harmonisées par Paul Berthier. Chez Hérelle, Paris; reprises par le Consortium musical, Paris.

1947 *Chants et Psaumes d'Automne.* Stock.

1950 Traduction allemande des *Contes.* Éditions Caritas, Fribourg-en-Brisgau.

1951 *Petit-Jour.* Souvenirs d'enfance, chez Stock.

1954 *L'Ame en peine.* Conte pour le jour des Morts, chez Stock.

1955 *Le jugement de Don Juan*, miracle. Eau-forte par Hermine David, chez Stock.

1956 *L'œuvre poétique.* Un volume relié comprenant *Les Chansons et les Heures, Chants et Psaumes d'Automne, Les Chants de la Merci, Le Rosaire des Joies*, chez Stock.

1959 *Sangen Om Ett Lib.* Traduction en suédois par Ella Berg-Scherdin de poèmes et contes choisis. Jean Forlay, Stockholm.

1959 *Notes intimes*, suivies de souvenirs sur l'abbé Bremond, chez Stock.

1960 *La rose rouge*, comprenant aussi *L'Ame en peine* et d'autres contes, chez Stock.

1961 *Diario segreto.* Traduction italienne des *Notes intimes*, par Adriana Zarri. Introduction par André Blanchet. Il Graal. Societa editrice internazionale. Turin.

1961 *Chants d'arrière-saison*, chez Stock.

1961 Traduction allemande des *Notes intimes*, chez Matthias Grunewald, Mayence.

En préparation :

BOURGUIGNONNERIES.
Traduction en anglais des *Notes intimes*.

DISQUE.

Noël de l'Avent (musique de Marie Noël), interprété par la maîtrise d'enfants de la R.T.F., et deux poèmes dits par Suzanne Flon. Disques Fontana.

II. — ARTICLES SUR MARIE NOËL

Pour les retrouver tous et les analyser, un travail de thèse sera nécessaire. Je n'en signale que quelques-uns :

Il y a d'abord les articles des découvreurs.

Victor GIRAUD : *Revue des Jeunes*, 25 février 1921.
Raymond ESCHOLIER : *Le Petit Journal*, 8 novembre 1921.
Lucien DESCAVES : *Le Journal*, 20 décembre 1921.
Jean-Jacques BROUSSON : *Excelsior*, 2 janvier 1922.
Henriette CHARASSON : *La Croix*, 9 avril 1922.

Mentionnons à part l'article de l'abbé Henri Bremond dans *La Vie catholique* du 14 mars 1925. C'est là qu'il écrivait : « Parmi nos poètes catholiques de langue française, je n'en vois pas un seul que je préfère à Marie Noël... Il y a Racine, il y a Verlaine, Claudel, Francis Jammes, comme il y a Marie Noël. *Sunt.* » C'est là aussi qu'il parle de « gaminerie angélique », mot qui, écrit en passant, lui a été — même par moi — un peu trop reproché.

Suivent des essais plus étendus :

Henri GHÉON : *Les Lettres*, octobre 1923.
Henriette CHARASSON : *Études*, 5 mai 1928.
Louis de MONDADON : *Études*, 20 octobre 1931.
DANIEL-ROPS : *Nouvelle Revue des Jeunes*, janvier 1932.
André BREMOND : *Études*, 5 juin 1936.
Antoine GOUZE : *Correspondant*, 25 février 1937.
G. DEJAIFVE : *Études classiques*, janvier 1952.
(Ce dernier article est un de ceux que Marie Noël apprécie le plus.)

En juin 1954, *Points et Contrepoints* consacre un numéro d' « Hommage à Marie Noël ».

C'est avec *L'Œuvre poétique* (1956), les *Notes intimes* (1959) et le livre de Raymond Escholier (1957) que Marie Noël, déjà très lue et très connue, est enfin reconnue par les revues et journaux les plus divers, depuis les *Lettres françaises* (27 mars 1957) jusqu'à *L'Osservatore romano* (2 mars 1958), en passant par la *N.R.F.* (1er février 1960).

III. — LIVRES

Édouard ESTAUNIÉ : *Roman et Province*, Laffont, 1943 (Conférence de 1933).
Louis CHAIGNE : *Vies et œuvres d'écrivains*, tome III. Lanore, 1950.
André BLANCHET : *La Littérature et le spirituel*, tome II. Aubier, 1960.
Michel MANOLL : *Marie Noël*. Éditions universitaires, 1962.

Mais il faut signaler à part :

Raymond ESCHOLIER : *La Neige qui brûle : Marie Noël*, Fayard, 1957.

Même après la publication des *Notes intimes*, ce livre contient beaucoup d'inédits. C'est une véritable « somme » noëlienne, par l'un des découvreurs et par l'ami de toujours de Marie Noël.

TABLE DES ILLUSTRATIONS

TABLE

CHOIX DE TEXTES

ACHEVÉ
D'IMPRIMER
SUR LES
PRESSES D'AUBIN
LIGUGÉ (VIENNE)
LE 15 SEPT.
1962

D. L., 3-1962. — Éditeur, nº 1.067. — Imprimeur, nº 2.851.
Imprimé en France.